Arthur Miller

Arthur Miller

On ne sait qui admirer le plus chez Arthur Miller (1915-2005) :
l'immense auteur des pièces de théâtre qui ont révolutionné la scène
américaine, le défenseur intransigeant des justes causes ou l'homme
qui épousa Marilyn Monroe. Né dans une famille d'immigrés juifs
polonais, il déménage à Harlem avec ses parents lors de la crise de
1929, après une enfance passée à proximité de Central Park, expé-
rience qui le marqua à jamais. À l'issue d'études laborieuses à l'université du Michigan durant lesquelles il écrit ses deux premières pièces, il
décide de se consacrer au théâtre et connaît un premier succès toni-
truant avec *Mort d'un commis voyageur*, qui rafle le prix Pulitzer et
deux autres distinctions. *Les Sorcières de Salem* et *Vu du pont* achève-
ront de lui conquérir une célébrité internationale. Son amitié avec Elia
Kazan lui vaut d'être condamné par la commission McCarthy pour ses
sympathies de gauche (il sera acquitté en appel) et aussi de rencontrer
Marilyn Monroe, qu'il épouse en 1956 (ils divorceront six ans plus
tard). Son autobiographie, *Au fil du temps*, détaille ses rencontres avec
les plus grands personnages du XXᵉ siècle, de Kennedy à André
Malraux, Steinbeck ou Tennessee Williams. Il a su conserver, tout au
long d'une existence marquée par le succès et la gloire, une candeur
tenace qui lui a forgé une figure de parfait honnête homme incarnant
les meilleures valeurs de l'Amérique.

Arthur
Miller

mort
d'un commis
voyageur

arthur miller

mort d'un commis voyageur

pièce en deux actes

adaptation française
de raymond gérome

pavillons poche
robert laffont

Titre original : DEATH OF A SALESMAN
© Arthur Miller, 1949
Traduction française : Éditions Robert Laffont, S.A., Paris, 1959, 2009

ISBN 978-2-221-11449-0

Personnages

WILLY LOMAN, le commis voyageur
LINDA LOMAN, sa femme
Ses fils { BIFF LOMAN
          HAPPY LOMAN
BEN LOMAN, son frère
CHARLEY, son voisin
BERNARD, fils de Charley
HOWARD, son patron
UNE FEMME
UNE SECRÉTAIRE
MISS FORSYTHE
MISS LETTA
STANLEY

La pièce se passe de nos jours, à New York.

Le décor représente la maison de Willy Loman. Quatre lieux : une chambre commune, la chambre à coucher de Willy et de Linda, la chambre de Happy et, en avant du décor proprement dit, le jardin.

L'action se déroule dans ces chambres, dans ce jardin, mais aussi dans un restaurant de New York, dans un hôtel de Boston, dans des bureaux. Ces divers lieux sont suggérés par des éléments de décor et des meubles.

Le temps de la représentation est double : il y a les scènes du présent, qui se déroulent dans l'ordre chronologique. Il y a les scènes du passé, qui sont, en réalité, les retours en arrière que fait, en pensée, le héros.

Les acteurs jouent différemment les scènes du présent et du passé. Lorsque l'action est actuelle et réelle, ils respectent les limites que propose le décor, se servent des portes, contournent les obstacles. Mais, dans les scènes du passé, ces contraintes sont inexistantes : on entre ou on sort de la maison en traversant le mur idéal qui sépare les chambres du jardin, à l'avant-scène.

Acte premier

Le rideau se lève.

Devant nous la maison du commis voyageur.

Derrière elle, l'entourent, la surplombent de toutes parts des formes carrées.

Seule la lumière bleue du ciel baigne la scène et le proscenium.

Sur le fond, des lueurs agressives et rougeâtres.

La lumière monte, nous découvrons un cirque de maisons à appartements.

La fragilité de la petite maison du centre en est encore accentuée. Tout cela a un visage de rêve. Un rêve issu de la réalité même.

Au centre, la cuisine, rassurante avec sa table, ses trois chaises, son Frigidaire. Point d'autres meubles.

Au fond de la cuisine, sur un plan légèrement surélevé, la chambre à coucher, meublée seulement d'un lit de cuivre et d'une chaise droite. Sur une étagère, à la tête du lit, un trophée d'argent. Une fenêtre donne sur les maisons environnantes.

Derrière et au-dessus de la cuisine, au plan supérieur de la scène, la chambre à coucher des deux garçons, à peine visible en ce moment. On distingue deux lits, une lucarne au fond. (Cette chambre se trouve donc au-dessus du living que nous ne voyons pas.)

Un escalier conduit à cette chambre. Il part de la cuisine à gauche.

Le décor tout entier est transparent (ce qui permet à certains moments de voir mieux encore le ciel et les maisons voisines).

Devant la maison, un proscenium, menant à l'orchestre. Selon les besoins de l'action, cette avant-scène repré-sente la cour de la maison, le lieu où se déroulent les rêves de Willy, ainsi que le théâtre de ses aventures citadines.

La nuit. Tout est sombre dans la maison. Quand la lumière montera, le spectateur découvrira Linda Loman étendue sur son lit. Dans l'autre chambre Biff et Happy, les deux frères, endormis l'un et l'autre.

Willy Loman paraît dans le jardin, il porte deux lourdes valises et paraît à bout de souffle. Il dépose ses fardeaux devant la porte, cherche une clef, entre. Linda, qui l'a entendu, se lève, fait de la lumière, passe une robe de chambre.

Tout cela est souligné par une mélodie très simple, jouée à la flûte. Ténue et délicate, elle chante l'herbe, les arbres, l'horizon.

Willy Loman peut avoir soixante ans. Habits simples. Épuisement évident, rien qu'à le voir traverser la scène vers la porte de la maison.

Il ouvre la porte, entre dans la cuisine, dépose ses fardeaux avec soulagement. Paumes douloureuses. Un soupir vague lui échappe.

LINDA, *de son lit.*

Willy !

WILLY

Tout va bien... C'est moi... Je suis revenu.

LINDA

Pourquoi ? Qu'est-ce qui s'est passé ? (*Un temps.*) Rien de grave ?

WILLY

Non, rien de grave.

LINDA

Tu n'as pas démoli la voiture, non ?

WILLY, *légère irritation.*

Rien de grave, je te dis. Tu n'as pas entendu ?

LINDA

Tu n'es pas malade ?

WILLY

Mort de fatigue. (*Le chant de la flûte s'éteint. Willy vient s'asseoir sur le lit à côté d'elle. On dirait qu'il a froid.*) Je n'en peux plus, voilà ! Je n'en peux plus, Linda.

LINDA, *attentive, adorable.*

Où as-tu été toute la journée ? Tu as mauvaise mine...

WILLY

J'ai été à Philadelphie. Un peu plus loin que Philadelphie. Je me suis arrêté pour prendre un café. C'est peut-être à cause du café ?...

LINDA

Quoi ?

WILLY, *prenant son temps.*

Brusquement, j'ai été incapable de conduire. La voiture déviait, elle m'échappait, tu comprends ?

LINDA, *compréhensive.*

La direction encore.

WILLY

Non, non. C'était moi... Moi ! J'ai tout d'un coup réalisé que je faisais soixante milles à l'heure, et que j'avais perdu conscience depuis cinq minutes... Comme si... je ne pouvais plus fixer mes pensées !

LINDA

Ce sont tes lunettes. Tu n'es jamais allé chercher tes nouvelles lunettes...

WILLY

Non, ma vue est excellente. Je suis revenu à vingt à l'heure. J'ai mis quatre heures pour rentrer de Philadelphie.

LINDA, *résignée.*

Prends du repos, Willy, il le faut, tu ne peux pas continuer comme ça.

WILLY

Je repartirai demain matin. Je me sentirai mieux demain matin peut-être... (*Comme elle lui enlève ses chaussures.*) Elles me font mal à crever...

LINDA

Une aspirine, voilà ce qu'il te faut... Veux-tu que je te donne une aspirine ?... Cela te calmera...

WILLY

J'étais en train de conduire, tu vois ? Je me sentais bien. Même que je regardais le paysage. Tu te rends compte ? Je regardais le paysage, moi, qui suis en route tous les jours de ma vie ! Mais il fait tellement beau là-haut, Linda ! Ces gros arbres touffus. La chaleur du soleil... J'avais baissé le pare-brise pour que la chaleur entre dans la voiture... Et voilà que, tout d'un coup, je déraille. Je ne plaisante pas. C'est comme je te le dis, j'avais tout à fait oublié que j'étais au volant ! J'aurais pris l'autre côté de la route. J'aurais traversé la ligne blanche du milieu, et je tuais quelqu'un ! Enfin ! Je repars... et, cinq minutes après, me voilà de nouveau à rêver... Et j'ai presque... (*La main sur les yeux.*) Ah ! J'ai de ces idées...

Willy chéri… Si tu leur en parlais encore, au bureau ? Pourquoi ne peux-tu pas travailler ici, à New York ? Il n'y a aucune raison…

WILLY

Ils n'ont pas besoin de moi ici… Ici, on a perdu le sens de notre travail. On perd de vue le rôle du commis voyageur. C'est la base, Linda, c'est la base de tout. La base du commerce, la base de la prospérité. Je suis l'homme du New England. Je connais le secteur comme ma poche. Je règne sur eux. Je les connais. Ils me parlent. Ils m'attendent. Ils ne pourraient pas vivre sans moi.

LINDA

Mais tu as soixante ans… On ne peut tout de même pas exiger que tu voyages toujours… (*Le débarrassant de son veston.*) Pourquoi ne pas dire à Howard que tu veux travailler à New York ?

WILLY, *brusquement.*

Je le lui dirai. Je le lui dirai… parole ! Je vais boire un peu de lait. (*Il va dans la cuisine.*) J'en ai pour une minute. Les garçons sont rentrés ?

LINDA

Ils dorment. Happy avait emmené Biff, ce soir… Un petit rendez-vous.

WILLY, *intéressé.*

Ah oui ! Biff n'a plus rien dit, ce matin, après mon départ ?

LINDA

Tu as eu tort, Willy... Il était à peine arrivé que tu le critiquais déjà... Tu as eu tort de te mettre en colère...

WILLY

Mais je ne me suis pas mis en colère, sacré nom !... Je lui ai simplement demandé s'il gagnait sa vie... C'est une critique, ça ?

LINDA

Chéri... comment pourrait-il gagner sa vie, voyons ?

WILLY, *tourmenté et chagrin.*

Il y a quelque chose qui le travaille !

LINDA

Il se cherche, Willy...

WILLY

À trente-quatre ans, on se trouve !

LINDA

Chut !... Pas trop fort !

WILLY

Le malheur, c'est qu'il est paresseux, sacré nom...

LINDA

Willy, je t'en prie…

WILLY

Biff est paresseux…

LINDA

Ils dorment… Tais-toi… Et mange quelque chose…

WILLY

Pourquoi est-il revenu ? Je voudrais bien savoir ce qui l'a poussé à revenir…

LINDA

Je ne sais pas. Il est désemparé, Willy. Il est telle-ment désemparé…

WILLY, *un discours en désordre.*

Biff Loman est désemparé. Le plus grand pays du monde, et un homme, jeune, plein de qualités et de charme, s'y trouve désemparé. Jeune… travailleur, courageux… parce qu'il y a une chose évidente dans le cas de Biff… il est courageux…

LINDA

Oui.

WILLY, *résolu.*

Je lui parlerai demain matin. Je lui parlerai. Et je lui trouverai une place de voyageur. Il pourrait se faire une situation magnifique en un rien de temps… Mon

Dieu... tu te rappelles ? Au collège... Tout le monde lui courait après. Il n'avait qu'à se montrer, tous les visages s'éclairaient. Et dans la rue... quand il marchait dans la rue... (*Il a une petite quinte de toux, puis :*) Pour l'amour du ciel, ouvre une fenêtre.

LINDA, *patiente, infiniment.*
Elles sont ouvertes, chéri. Toutes...

WILLY
Emmurés... voilà ce que nous sommes... Emmurés. Briques et fenêtres... Fenêtres et briques.

LINDA
On aurait dû acheter le terrain, à côté...

WILLY
Et la rue encombrée de voitures. Et pas un souffle d'air frais dans tout le quartier. Et le gazon qui ne pousse même plus. Pas même moyen de faire sortir une malheureuse carotte dans le jardin, derrière. Il faudrait faire une loi contre ces maisons à appartements. Tu te rappelles les ormes que nous avions là derrière... Nous y accrochions la balançoire, Biff et moi...

LINDA
On se serait cru à mille lieues de la ville... Oui...

WILLY
On aurait dû l'arrêter, l'entrepreneur qui les a abattus... Il a massacré cet endroit... (*Éperdu.*) Je

revois ce temps-là, Linda. J'y repense chaque jour un peu plus. À cette époque-ci de l'année, on avait le lilas et la glycine. Après, les pivoines et les jonquilles… Ah ! Le parfum qu'il y avait dans cette chambre…

LINDA

Oui… Bah ! après tout… il faut bien que les gens vivent quelque part.

WILLY

Il y a trop de monde, voilà le malheur. Il y en a plus qu'avant.

LINDA

Ce n'est pas qu'il y en ait plus, mais…

WILLY

Il y en a plus. On crève de concurrence ! Et la puanteur qui vient de la maison là… tu la sens ? Et l'autre bloc, plus loin, et sa peste à lui… tu la sens ?…

LINDA

Calme-toi.

WILLY, *vers Linda, d'un air coupable.*

Tu ne t'en fais pas pour moi, hein, chérie…

BIFF

Qu'est-ce qui se passe ?

(*Les fils se sont réveillés depuis un moment. Ils écoutent, tâchent de saisir la conversation.*)

HAPPY

Chut !... Écoute...

LINDA

Bien sûr que je ne m'en fais pas... Je te connais...
Je connais tes possibilités...

WILLY

C'est toi mon soutien, Linda. C'est toi ma force.

LINDA

Tu exagères tout... Tout est moins grave que tu ne
crois... Allons dormir. Tiens ! dimanche, s'il fait
beau... nous irons à la campagne. Et nous emporte-
rons un petit lunch... On baissera le pare-brise...

WILLY

Impossible. Il n'y a pas moyen d'ouvrir les pare-
brise dans les nouvelles voitures...

LINDA

Tu l'as baissé aujourd'hui...

WILLY

Moi ? Jamais de la vie... (*Un temps.*) Çà alors...
çà, c'est bizarre. Çà alors, c'est tout à fait bizarre...
(*Il s'interrompt. Il y a sur lui une sorte d'effroi. Au
loin, la flûte.*)

LINDA

De quoi parles-tu, chéri ?

21

WILLY

Oui... Tout à fait bizarre...

LINDA

Mais quoi ?

WILLY

Je pensais à la Chevrolet. (*Petit temps.*) En 28...
quand nous avions la Chevrolet rouge. C'est drôle,
non ? J'étais prêt à jurer que c'était la Chevrolet que je
conduisais aujourd'hui.

LINDA

Qu'est-ce que ça prouve ? Un détail, sans doute,
te l'aura rappelée.

WILLY

C'est drôle... Tu te souviens comme Biff nettoyait
la voiture ? Le vendeur se refusait à croire qu'elle
avait fait ses 80 000 milles. (*Il hoche la tête.*) Eh
bien... (*À Linda.*) Remets-toi au lit. J'en ai pour une
seconde. Je vais prendre un verre de lait.

LINDA *criant après Willy.*

Attention aux escaliers, chéri. Il y a des fruits dans
le Frigidaire... rayon du milieu...

(*Elle se détourne, va vers le lit, y ramasse le veston
et sort de la chambre.*)

HAPPY, *à Biff.*

Seigneur Dieu... Pourvu qu'il n'ait pas de nouveau accroché la voiture...

(*La lumière a monté sur la chambre des garçons. On entend Willy, invisible, qui marmonne :* « 80 000 milles... » *etc. Puis un petit rire. Biff sort de son lit, descend un rien en scène et écoute.*)

HAPPY, *sortant de son lit à son tour.*

On finira par lui enlever son permis de conduire s'il continue comme ça... Tu sais qu'il y a des moments où il m'inquiète, Biff ?

BIFF

Sa vue baisse, hein ?

HAPPY

Non. Je me suis trouvé à côté de lui dans la voiture. Il voit très bien. Seulement il n'arrive plus à fixer son attention. Il n'est pas à ce qu'il fait. L'autre jour, nous étions en ville. Il s'arrêtait aux signaux verts et passait froidement devant les rouges...

(*Il rit.*)

BIFF

Il est peut-être daltonien ?

HAPPY

Papa ? Allons donc ! Son sens des couleurs est célèbre dans le métier !

BIFF

Moi, je me recouche !

(*Ce qu'il fait.*)

HAPPY

Tu n'es plus fâché contre papa, hein ?

BIFF

Non. Je pense que c'est un type très bien, après tout.

VOIX DE WILLY, *depuis le living-room*.

Absolument, mon cher… 80 000 milles… 82 000…

BIFF

Tu fumes ?

HAPPY, *lui tendant un paquet de cigarettes*.

Tu en veux ?

BIFF, *en prenant une*.

Jamais pu m'endormir quand je sens l'odeur du tabac.

WILLY, *idem*.

Et en bon état, je vous prie de le croire… Entretenue ! La carrosserie est comme neuve…

HAPPY

C'est drôle, Biff… Nous sommes là, tous les deux, dans la même chambre… Comme avant. Les mêmes vieux lits. (*Il caresse presque affectueusement son lit.*)

24

Ce qu'on a pu se parler d'un lit à l'autre ! Notre vie tout entière est là...

BIFF

Des tas de rêves et de projets...

HAPPY, *un bon rire mâle.*

Il y a environ cinq cents femmes qui donneraient gros pour savoir ce qui a été dit dans cette chambre...

(*Ils rient tous les deux.*)

BIFF

Tu te rappelles cette grosse Betty... je ne sais plus comment. Quel était son nom encore ?... Qui habitait là, derrière, dans l'avenue.

HAPPY, *se recoiffant.*

Qui avait un chien colley ?

BIFF

Oui, celle-là. C'est moi qui te l'avais présentée, tu te souviens ?

HAPPY

Tu parles... J'étais puceau... Je m'en suis mis jusque-là... (*Leur rire est presque grossier.*) Tout ce que je sais des femmes, c'est à toi que je le dois.

BIFF

Tu étais timide... avec les filles surtout !

HAPPY

Je le suis toujours, Biff...

BIFF

Je te fais confiance.

HAPPY

Je ne le montre plus, c'est toute la différence. Toi, par contre, tu l'es plus que dans le temps... Pourquoi, Biff ? Qu'est-ce qui s'est passé ? Où est ton sens de l'humour ? Tu n'as plus confiance, toi ? (*Il a posé sa main sur le genou de Biff, mais Biff se lève et marche nerveusement à travers la chambre.*) Pourquoi ?

BIFF

Pourquoi papa ne me prend-il pas au sérieux ?

HAPPY

Qu'est-ce que tu vas chercher ?

BIFF

Chaque fois que j'ouvre la bouche, il y a un petit sourire moqueur sur sa figure... Je ne peux plus l'approcher.

HAPPY

Il voudrait que tu réussisses, c'est tout ! Biff... il y a longtemps que je voulais te parler de papa. Il lui est arrivé quelque chose. Il a changé. Il parle tout seul...

BIFF

J'ai remarqué ça ce matin. Ce n'est pas nouveau… il l'a toujours fait…

HAPPY

Pas comme maintenant. Pas aussi fort. Pas tout le temps. C'est pour cela que je l'ai envoyé en Floride. D'ailleurs, ce n'est pas tout ce que j'avais à te dire. Il parle tout seul. Et il parle de toi.

BIFF, *très dur.*

De moi ? Qu'est-ce qu'il dit de moi ?

HAPPY

Je n'ai jamais très bien compris.

BIFF, *presque criant.*

Qu'est-ce qu'il dit de moi ?

HAPPY

Le fait que ta situation ne soit pas encore établie, je pense… que tu es toujours un peu dans la lune…

BIFF

Il y a peut-être deux ou trois autres petites choses qui le travaillent, tu ne crois pas ?

HAPPY

Qu'est-ce que tu veux dire ?

BIFF, *buté.*

Rien. Mais il ne faudrait pas tout mettre sur mon dos.

HAPPY

Est-ce que tu as de l'avenir là-bas ?

BIFF, *se détendant.*

Je ne sais pas ce que ça veut dire, l'avenir, Happy. Je ne sais pas moi-même ce que je veux, alors...

HAPPY

Je ne comprends pas...

BIFF

Tu vas comprendre. Depuis le collège, depuis six ou sept ans, j'ai essayé de me fabriquer un avenir. Expéditionnaire... commis voyageur... toutes sortes de bricoles. Tout cela est médiocre : le métro, le matin quand il fait beau dehors. Foutre toute une vie en l'air à faire des relevés, ou à téléphoner, ou à vendre, ou à acheter... Et souffrir pendant cinquante semaines en pensant à deux malheureuses semaines de congé... Alors que tout ce qu'on désire vraiment, c'est d'être en plein air, et de tomber la veste... Et toujours être obligé d'enfoncer l'adversaire... C'est comme ça qu'on se fait un avenir, n'est-ce pas ?

HAPPY

Mais tu te plais au moins dans ta ferme ? Tu aimes ce genre de vie ?

BIFF, *nervosité grandissante.*

Happy… j'ai fait vingt ou trente métiers différents depuis que j'ai quitté la maison. Ça finit toujours de la même façon. J'ai toujours eu la ferme intention de ne pas perdre mon temps dans la vie. Chaque fois que je rentre à la maison, je réalise que je n'ai jamais fait que ça : perdre mon temps.

HAPPY

Tu es un poète. (*Devant le rire de Biff.*) Mais oui… un poète… et un idéaliste !

BIFF

Non. Je suis un mélange, un mauvais mélange. Je suis un gamin, un petit garçon. Je ne suis pas marié. Je n'ai pas de métier. Je ne suis pas dans les affaires, comme on dit. Je suis… un gamin… voilà. Enfin… Mais toi, Happy… tu tiens bon ? Tu es content ? Tu réussis ?

HAPPY

Oh, non !

BIFF

Comment ? Tu gagnes bien ta vie, non ?

HAPPY, *de long en large.*

J'ai le temps ! Il faut que j'attende que le directeur commercial passe l'arme à gauche. D'ailleurs, tu sais, même si j'avais sa place !

BIFF, *enthousiaste.*

Et, si tu venais dans l'Ouest avec moi ?

HAPPY

Moi ? (*Rêveur.*) Avec toi ? Tous les deux... Les frères Loman, hein ?

BIFF

Oui. Et j'aime autant te dire qu'on serait connus dans le pays !

HAPPY

J'en ai toujours eu envie, Biff. Il y a des jours où je rêve de tout flanquer en l'air et de sortir ce foutu directeur à coups de poing. Je me sens tout à fait capable d'enfoncer n'importe qui au magasin, et je suis aux ordres de ces fils de catins... Jusqu'au jour où je ne pourrai plus le supporter...

BIFF

Je t'assure, vieux, je serais heureux de t'avoir à mes côtés...

HAPPY

Autour de moi, tout le monde est tellement fabriqué...

BIFF

On se soutiendrait l'un l'autre. On aurait quelqu'un en qui croire.

HAPPY

Ah, oui ! Si j'étais avec toi…

BIFF

Le malheur, c'est que nous n'avons pas été élevés pour amasser de l'argent. C'est bien simple ! Je ne sais pas comment m'y prendre.

HAPPY

Moi non plus.

BIFF

Alors, qu'est-ce que nous attendons ?… Qu'est-ce que tu attends ?

HAPPY

D'être sûr de ne rien perdre ! (*Biff a un petit rire moqueur.*) Je changerais… je changerais si j'avais une fille bien. Une fille comme maman, tu sais !… Je vais te dire quelque chose ; tu vas probablement me traiter de salopard… La fille de tout à l'heure, Charlotte, celle qui était avec moi… elle se marie dans cinq semaines.

BIFF

Tu plaisantes ?

HAPPY

Non. Son type sera sûrement vice-président de la boîte, un de ces quatre matins. Tu vois, c'est plus fort que moi. Même que je me demande parfois si je n'ai pas le sens de la compétition un peu trop développé ;

31

mais c'est plus fort que moi, je le fais. Je n'en ai pas tellement envie, de cette fille, mais je le fais. Et... j'adore ça !

BIFF, *après un temps*.

Si on dormait ?

HAPPY

On n'a rien fixé du tout, tu sais ?

BIFF

J'ai une petite idée que je vais creuser.

HAPPY

Une idée ?

BIFF

Tu te souviens de Bill Olliver ?

HAPPY

Bien sûr, c'est devenu un homme important. Tu voudrais retravailler pour lui ?

BIFF

Non, mais, quand je l'ai quitté, Olliver, il m'a dit une chose. Il a mis son bras autour de mes épaules, et il m'a dit : « Biff, si jamais tu as besoin de quelque chose dans la vie, viens me voir. »

HAPPY

Je me rappelle. (*Brusque.*) C'est une bonne idée.

BIFF

Je pense que je vais lui faire une petite visite. Si j'arrivais à lui emprunter 10 000 dollars... ou même 7 000 ou 8 000, je pourrais acheter un ranch magnifique.

HAPPY

Il ne demandera pas mieux que de te financer, Biff.

BIFF

Oui ! Un ranch. Et le travail que j'aime. Et une chance de réaliser quelque chose dans la vie. (*Un temps.*) Je me demande... Je me demande si Olliver pense toujours que c'est moi qui avais volé ces ballons dans le temps ?

(*Biff reste là, rêveur, les yeux vagues. Happy le regarde et hoche la tête. La lumière, sur eux, disparaît. Willy Loman reparaît dans la cuisine. Il parle seul. Autour de lui, l'atmosphère change. Il fait plus clair, un rayon de soleil baigne la petite maison. On réalise petit à petit que Willy Loman revit en songe une scène de son passé. Il s'adresse à quelqu'un que nous ne voyons pas, mais le ton qu'il emploie est normal.*)

WILLY

Il faut être prudent avec ces filles, Biff. Prudent, voilà tout. Ne fais pas de promesses. Pas de promesses en l'air. Parce que, tu vois, les filles, ça croit tout ce qu'on leur dit, et tu es trop jeune. Tu es beaucoup trop jeune pour te mettre à parler sérieusement aux filles. (*Il se verse un verre de lait. Il est distrait, absorbé, absent. Il sourit un peu.*) Beaucoup trop jeune, Biff. À tout point de vue. Les études d'abord. Et puis, plus tard, quand tu auras terminé, il y aura un tas de filles pour un garçon comme toi. Parce que... hein ? Les filles paient pour toi ? (*Il rit.*) Ah ! mon petit gars... tu dois en faire des ravages ! Et tu nettoies cette voiture avec un soin ! Je me demande pourquoi ? Ah ! mais, par exemple, mes garçons, il ne s'agit pas d'oublier les chapeaux des roues. À la peau de chamois, les chapeaux... à la peau de chamois ! Et pour les glaces... du papier, Happy... du papier journal, c'est ce qu'il y a de mieux. Tiens, montre-lui, Biff ! Tu vois, Happy ? En rond... tu vois... comme si tu polissais ! Voilà... très bien ! Un joli travail ! Tu t'en sers très bien, Hap... (*Un temps. Puis les yeux levés.*) Il faudrait couper cette branche, là, au-dessus de la maison. Une des premières choses à faire, dès qu'on aura un peu de temps libre... J'ai toujours peur qu'elle ne soit abattue par un orage... Qu'est-ce que le toit prendrait ! J'ai une idée... Il faudra d'abord l'arrimer bien solidement, puis monter dans l'arbre et la scier. Ah ! Quand vous aurez fini la voiture, les garçons, je voudrais vous voir... Une surprise pour vous...

BIFF, *à la cantonade.*

Qu'est-ce que c'est, papa ?

WILLY

Finissez d'abord… Il ne faut jamais abandonner un travail avant de l'avoir terminé… rappelez-vous ça ! Biff, j'ai vu un hamac magnifique à Albany. J'ai bien envie de l'acheter en y repassant un de ces jours et nous l'accrocherons là, aux deux ormes… Ce serait épatant, non ? Tu nous vois nous balancer sous les branches… Tu nous vois ?

(*Le jeune Biff et le jeune Happy entrent en scène. C'est dans leur direction que parlait Willy. Happy porte un torchon. Biff a un sweater de sport marqué d'un « S » majuscule ; il a un ballon de football sous le bras.*)

BIFF, *désignant la voiture en coulisse.*

Qu'est-ce que tu en dis ? Travail de spécialiste, pas ?

WILLY

Du tonnerre… les garçons ! Du tonnerre. Bien travaillé, Biff !

HAPPY

La surprise, papa !

WILLY

Sur le siège arrière de la voiture.

HAPPY, *ressortant.*

Chic !

BIFF

Qu'est-ce que c'est, papa ? Qu'est-ce que tu as acheté ?

WILLY

Tu verras. (*En riant, une bourrade.*) Quelque chose que je voulais que tu aies...

BIFF, *partant à son tour.*

Qu'est-ce que c'est, Hap ?

HAPPY, *cantonade.*

Un punching-ball...

BIFF

Papa !

WILLY

Et, dessus, il y a la signature de tous les champions du pays.

(*Happy revient en scène. Il a un ballon de punching-ball dans les bras.*)

BIFF

Çà alors... comment sais-tu que c'est justement ce que nous voulions ?

WILLY

Rien de tel pour l'entraînement.

HAPPY

Tu sais que j'ai perdu du poids ?

WILLY, *à Happy.*
Saute à la corde… Rien de tel !

BIFF
Tu as vu mon nouveau ballon ?

WILLY
D'où vient-il ?

BIFF
L'entraîneur… il m'a dit de revoir mes passes.

WILLY
Ah, oui ? Et il t'a donné le ballon ?

BIFF
Pas exactement. Je l'ai « emprunté » à la salle…
(*Un rire complice.*)

WILLY, *petit rire aussi devant le vol.*
Il faut que tu le rendes !

HAPPY
Je t'avais bien dit que papa ne serait pas d'accord.

BIFF
Bon, bon ! Je le rapporterai.

WILLY, *coupant la dispute naissante, à Happy.*
Il faut bien qu'il travaille avec un ballon réglemen-
taire, non ? (*À Biff.*) L'entraîneur te félicitera certaine-
ment de ton initiative.

WILLY

Il t'adore… Si quelqu'un d'autre prenait jamais un ballon à la salle, il en ferait du bruit. Alors, les garçons, quelles sont les nouvelles ?

BIFF

Où as-tu été cette fois-ci, papa ? Tu nous a manqué, tu sais ?

WILLY, *ravi, prenant les garçons aux épaules.*
C'est vrai ?

BIFF

Tout le temps !

WILLY

Voyez-vous ça ! Eh bien, je vais vous dire un secret. Entre nous ! Un de ces jours, j'aurai une affaire à moi… et je ne quitterai plus la maison. Plus du tout.

HAPPY

Comme l'oncle Charley ?

WILLY

Mieux que cela. Les gens n'aiment pas Charley. Enfin, quand je dis qu'ils ne l'aiment pas… je veux dire qu'ils ne l'aiment pas « beaucoup ». Il faut se faire aimer. On en a besoin. Il faut que les gens vous trouvent indispensable. Qu'ils ne puissent pas faire un pas sans vous. Charley…

(*Un petit rire de commisération.*)

BIFF

Où as-tu été cette fois-ci, papa ?

WILLY

J'ai fait de la route… Dans le Nord. Du côté de Providence. J'ai fait la connaissance du maire.

BIFF

Le maire de Providence !

WILLY

Il était assis dans le hall de l'hôtel.

BIFF

Il t'a parlé ? Qu'est-ce qu'il t'a dit ?

WILLY

« Bonjour » qu'il m'a dit. Et moi, je lui ai répondu : « Une belle ville que vous avez là, monsieur le maire. » Et il a pris le café avec moi. Oui, oui ! Après cela, j'ai été à Waterbury. Jolie ville, Waterbury ! Et puis Boston. Ah ! Boston ! le berceau de la révolution !

BIFF

Ce que j'aimerais t'accompagner…

WILLY

En été, dès que l'été sera là.

HAPPY

C'est juré ?

WILLY

Juré. Toi, Happy, et moi. Je vous ferai voir toutes les grandes villes. C'est plein de belle villes, l'Amérique. Et les villes sont pleines de types bien. Et je vous jure que je suis connu, hein ! Connu comme un vieux sou, les garçons. Dans tout le New England ! On prendra des costumes de bain.

HAPPY

Et nous porterons tes valises...

WILLY

Je vois ça d'ici, les garçons... Quel spectacle... Je vois ça d'ici... Willy Loman entrant dans les magasins de Boston et ses deux garçons portant ses valises... Vous parlez d'une sensation...

(*Biff saute de droite à gauche, répétant des passes de ballon.*)

WILLY

Tu as le trac, Biff, pour le match ?

BIFF

Non. Puisque tu seras là.

WILLY

Comment sont-ils à l'école, depuis qu'ils t'ont nommé capitaine ?

HAPPY

Il y a un tas de filles à ses trousses, après les classes...

BIFF, *prenant la main de son père.*

Au match... samedi prochain... je marquerai un essai... Moi-même. Je le marquerai pour toi.

HAPPY

Tu ne peux pas marquer toi-même... tu sais bien que tu dois passer la balle aux autres... C'est réglé comme ça !

BIFF

Je m'en fous. Je marquerai un point moi-même. Pour papa. Tu n'auras qu'à faire bien attention. Quand j'enlèverai mon casque, ça voudra dire que je pars. Et je passerai la ligne... et je marquerai.

WILLY, *embrassant Biff.*

Ils en crèveront, à Boston, quand je leur raconterai ça !

(*Bernard entre en scène. Il est un peu plus jeune que Biff.*)

BERNARD

Biff... qu'est-ce que tu attends ? Je croyais qu'on travaillait ensemble ?

WILLY

Ah ! voilà Bernard ! Qu'est-ce qui te donne cet air de pisse-vinaigre, Bernard ?

BERNARD

Il faut qu'il étudie, oncle Willy. Il a des examens la semaine prochaine.

HAPPY, *taquin, tarabustant Bernard.*

On boxe, Bernard ? On boxe ?

BERNARD

Biff (*Échappant à Happy.*) Écoute, Biff ! J'ai entendu M. Birnbaum dire que, si tu ne bûchais pas sérieusement tes maths, il te collerait... Tu ne passeras pas... Je l'ai entendu !

WILLY

Va étudier, Biff. Avec lui. Va.

BERNARD

C'est vrai ! Je l'ai entendu !

WILLY, *colère.*

Qu'est-ce qui te prend, toi ?

BERNARD

Mais puisque j'ai entendu M. Birnbaum...

WILLY

Ne nous embête pas, Bernard ! (*Aux garçons.*) Regardez-moi cette petite nature...

BERNARD

Très bien. Je t'attends à la maison, Biff...
(*Il sort, poursuivi par les rires des Loman.*)

WILLY

On ne l'aime pas ce Bernard, hein ?

BIFF

On l'aime... mais on ne l'aime pas « beaucoup ».
(*Rires.*)

HAPPY

Voilà ! Tu l'as dit !

WILLY

Ne riez pas... C'est exactement ce que je voulais dire... Bernard aurait même le maximum partout à l'école, suivez-moi bien, il l'aurait même partout, son maximum, que ça n'empêcherait pas que, dans le monde des affaires, vous arriviez dix fois plus loin que lui. Le type qui éveille la sympathie et un intérêt personnel dès qu'il fait son entrée, c'est le type qui avance. Regardez-moi par exemple. Je n'attends jamais, je ne fais jamais antichambre. Je n'ai qu'à me montrer : « Willy Loman est là... » et je passe le premier... Comme ça !

BIFF

Tu les enfonces tous, hein, papa ?

WILLY

Assommés à Providence... Massacrés à Boston !
(*Linda apparaît dans l'escalier. Elle aussi a rajeuni. Un ruban maintient ses cheveux. Elle porte un panier plein de linge.*)

LINDA, *jeune, énergique.*

Alors, mon chéri...

WILLY

Mon petit cœur...

LINDA

La Chevrolet a bien marché ?

WILLY

La meilleure voiture du monde, Linda. La meilleure. (*Aux garçons.*) Depuis quand laissez-vous maman porter le linge dans l'escalier ?

BIFF

En avant, mon gros !

HAPPY

Où le met-on, maman ?

LINDA

Pendez-le... sur les cordes... Elles sont tendues. Après ça, tu ferais mieux d'aller retrouver tes copains, Biff. Il y en a plein la cave. Sans toi, ils sont tous perdus.

BIFF

Papa vient de rentrer ; ils peuvent attendre !

WILLY, *avec un petit rire.*

Descends, et occupe-toi d'eux...

BIFF

Je vais leur faire nettoyer la chaudière...

WILLY

Bonne idée... excellente idée !

BIFF

Allons, Hap... On fait un cent mètres ?
(*Ils emportent rapidement le panier.*)

LINDA

Ce qu'il peut les faire marcher !

WILLY

Il n'est pas capitaine pour rien. C'est ça l'entraînement ! Je te jure... J'aurais pu faire des affaires d'or si
j'étais resté en route... Mais je grillais... Il fallait que
je rentre pour le match !

LINDA

Tout le quartier y va, à ce match ! Tu as fait de
bonnes affaires, toi ?

WILLY

Cinq cents grosses à Providence, sept cents à
Boston.

LINDA

Quoi ? Non ? C'est vrai ? Mais ça fait... Attends,
je prends un crayon ! (*Dans la poche de son tablier, un
carnet et un crayon.*) Ça fait... Ça fait 200 dollars de
commission... Mon Dieu... 212 dollars !

WILLY

Je n'ai pas encore revu exactement les ordres que j'ai passés, tu sais, mais je crois bien que…

LINDA

Ah ! (*Elle comprend tout de suite.*) Qu'est-ce que tu as fait… exactement ?

WILLY

Eh bien… mais je… Environ cent quatre-vingts grosses à Providence. Et… Non ! Moins que ça… Enfin, à vue de nez… Deux cents grosses en tout. Pour toute la journée…

LINDA, *aucun signe d'étonnement. Aucune hésitation.*
Deux cents grosses. Ça fait…

(*Elle calcule.*)

WILLY, *il s'excuse comme si elle l'accusait.*
C'est idiot… Trois magasins fermés à Boston… des histoires d'inventaire… Est-ce que je sais, moi… Sinon, tu penses… j'aurais battu tous les records !

LINDA

Bien sûr. Ça fait 68 dollars et quelques cents. (*Un petit soupir.*) C'est très bien.

WILLY

Qu'est-ce que nous devons là-dessus ?

LINDA

Les 16 dollars du Frigidaire, le premier du mois.

WILLY

Seize, pourquoi 16 ?

LINDA

Il y a 1 dollar 80 de supplément. La courroie du ventilateur a sauté. Je l'ai fait remplacer.

WILLY

Mais le truc est tout neuf !

LINDA

Le technicien m'a dit que c'était normal. C'est souvent comme ça... Ça doit se donner.

WILLY

J'espère que nous ne nous sommes pas fait voler.

LINDA

Penses-tu ! Ils n'en vendraient pas comme ils en vendent...

WILLY

Bon. Il y a d'autres notes à payer ?

LINDA

Neuf dollars 60 pour la mensualité de la machine à lessiver. Pour le gros aspirateur, 3 dollars 50... Le 15 du mois... mais tout de même ! Il reste le toit... Tu as 21 dollars de réparation.

WILLY

Il ne fuit plus au moins ?

LINDA

Oh non ! Ils ont travaillé comme des anges ! Ah !
Il y a encore ce que tu dois à Frank pour ton carbura-
teur…

WILLY

Je n'ai pas la moindre intention de le payer ! Ces
Chevrolet sont invraisemblables ! On devrait interdire
leur fabrication, tiens !

LINDA

Oui. Toujours est-il que tu lui dois 3 dollars 50.
Ce qui fait qu'avec quelques babioles que j'oublie tu
en as à peu près pour 120 dollars pour le 15…

WILLY

Cent vingt dollars ! Mais, sacré nom, si les affaires
ne reprennent pas un peu, je n'en sortirai jamais…

LINDA, *voulant le réconforter à tout prix.*
Ta semaine prochaine sera meilleure.

WILLY

Oui… la semaine prochaine… je ferai un malheur.
La semaine prochaine, j'irai à Hartford. On m'adore à
Hartford. Et cependant… c'est drôle, hein ? Mais j'ai
quelquefois l'impression que les gens ne me prennent
pas au sérieux.

LINDA

Ne dis pas de bêtises…

WILLY

Oh ! Je le vois bien. J'entre ! Ils ont tous l'air de se moquer de moi.

LINDA

Pourquoi ? Pourquoi se moqueraient-ils de toi ? Qu'est-ce que tu vas chercher ?

WILLY

Je ne sais pas pourquoi… mais c'est comme ça. Ils m'ignorent. Ils ne font pas attention à moi…

LINDA

Mais ton travail va très bien, chéri… Tu te fais entre 70 et 100 dollars par semaine…

WILLY

D'accord, mais je fais dix ou douze heures par jour ! Je ne sais pas comment je m'y prends ! Les autres y arrivent plus facilement. Je t'assure… Je perds mon temps… je ne parviens pas à m'arrêter de parler… Je parle trop. Ce n'est pas bon… Prends Charley, par exemple… C'est un homme qui parle peu… C'est un homme qu'on respecte.

LINDA

Je ne trouve pas que tu parles trop… Tu es plein de vie, voilà tout.

WILLY, *souriant*.

Eh bien ! oui... la vie est courte, alors je me dis... sacré nom, une plaisanterie de temps en temps, ce n'est pas très grave ?... (*Presque bas.*) Je plaisante trop...

(*Son sourire disparaît.*)

LINDA

Comment... Mais, chéri, voyons...

WILLY, *humble*.

Je suis gros, je suis gras. Je n'ai aucune allure, Linda. J'ai pas l'air très malin. À Noël, je ne te l'ai pas raconté... j'avais été chez un client. Il y avait là un voyageur que je connais un peu. Comme j'allais entrer dans le bureau, je l'ai entendu... je l'ai entendu dire quelque chose à propos d'un phoque... Je lui ai flanqué mon poing sur la figure. Je n'ai aucune raison de supporter ça, tout de même ? Malheureusement, c'est un fait... on se moque de moi...

LINDA

Chéri, voyons...

WILLY

Il faut que je surmonte tout ça. Je sais bien. Je m'habille mal...

LINDA

Chéri... Tu es le plus bel homme du monde...

WILLY

Non, Linda...

LINDA

Pour moi, si... (*Un temps.*) Le plus beau. (*Venant de l'ombre, un rire de femme. Il se prolonge pendant que Linda parle. Willy n'y fait pas attention.*) Et les garçons, Willy... Tu en connais beaucoup, des pères comme toi ? Adorés par leurs garçons comme tu l'es ?

(*Musique. Derrière un paravent à gauche, on distingue faiblement une femme qui passe ses vêtements.*)

WILLY, *profondément sensible.*

Tu es la meilleure femme qui soit, Linda. Tu es la meilleure amie... tu le sais, non ? Quand je suis en route, quelquefois j'ai brusquement envie de te tenir dans mes bras et de t'embrasser comme un fou...

(*Rire éclatant de la femme. Willy va vers le paravent. La femme sort de derrière, se regarde dans un miroir et rit.*)

WILLY

Je me sens tellement seul quelquefois... Surtout quand les affaires sont mauvaises, ou que je n'ai personne à qui parler. J'ai l'impression que je ne gagnerai plus jamais d'argent... Plus jamais, et que je n'arriverai jamais à te faire une vie agréable... Une vie agréable pour toi et les garçons... (*Il parle sur les rires de la femme. Elle est toujours à son miroir.*) Ah !

tout ce que je voudrais faire pour… Je pourrais soulever des montagnes !

LA FEMME

Soulever ! Comme tu y vas ! Mais ce n'est pas toi
qui m'as « soulevée » comme tu dis, mon gros… C'est
moi qui t'ai « soulevé ».

WILLY, *ravi.*

Tu m'as « soulevé », toi ?

LA FEMME, *une femme de l'âge de Willy, pas laide.*

Absolument ! Tu penses que, depuis le temps que
j'y suis, derrière ce bureau, j'en ai vu passer des représentants, hein ? Bon an, mal an… Qu'est-ce que j'en
vois ! Seulement… toi… tu as le sens de l'humour…
et tous les deux, on s'amuse bien… alors…

WILLY

Oui… (*Il la prend dans ses bras.*) Pourquoi pars-tu ?

LA FEMME

Il est deux heures…

WILLY

Reste…

(*Il cherche à l'entraîner.*)

LA FEMME

Jamais ! Mes sœurs seraient folles… Quand
reviens-tu ?

WILLY

Oh… dans quinze jours… On se reverra, non ?

LA FEMME

Bien sûr… tu me fais rire. C'est bon pour moi…
J'adore ça ! (*Elle l'embrasse, pendue à son bras.*) Tu es
un type épatant…

WILLY

Tu m'as « soulevé », hein ?

LA FEMME

Oui, mon gros… parce que tu es gentil… et que
tu aimes la plaisanterie…

WILLY

Alors tout va bien. Je te fais signe dès que je
reviens à Boston. Parfait. (*Une claque sur les fesses.*)
Bien le bonjour…

LA FEMME, *un grand rire.*

Farceur… Tu connais ton métier. (*Il l'attire vio-
lemment à lui et l'embrasse.*) Ah, oui ! Alors… tu
connais ton métier ! Et merci encore pour les bas de
soie… J'adore les bas de soie… Bonne nuit…

WILLY

Bonne nuit… (*Coquin.*) Garde tout ça au chaud..
J'en reprendrai une portion…

LA FEMME

Oh… Willy…

(Elle éclate de rire et disparaît dans l'obscurité. Comme son rire s'éteint, celui de Linda s'élève. La lumière monte sur la cuisine, nous retrouverons Linda à la place où nous l'avions laissée. Mais, au lieu des chaussettes d'homme qu'elle réparait tout à l'heure, elle a maintenant en mains des bas de soie.)

LINDA

C'est vrai, Willy… Le plus bel homme du monde… Tu n'as pas de raisons de t'en faire…

WILLY, *sortant de l'ombre où il était avec la femme, il y a un instant, et revenant à Linda.*

J'ai envie de te gâter, Linda…

LINDA

Mais tu me gâtes, chéri… Tu fais tout ce que tu dois faire…

WILLY, *devant les bas de soie.*

Qu'est-ce que tu fais ?

LINDA

Oh… je les répare… ils sont tellement chers…

WILLY, *presque fâché, la main tendue.*

Je ne veux pas te voir faire ça… Jette-les…

(Linda met les bas dans sa poche.)

BERNARD, *qui est entré en courant.*

Où est-il encore ? S'il n'étudie jamais, vous savez…

WILLY

Tu lui souffleras les réponses.

BERNARD

C'est ce que je fais d'habitude, mais, cette fois-ci,
c'est un examen de l'État. Je ne l'aiderai pas... Ils
seraient capables de m'arrêter...

WILLY, *brusquement furieux.*

Où est-il que je lui flanque une volée ?...

LINDA

Et il ferait mieux de rendre ce ballon, Willy...
C'est mal !

WILLY

Biff... mais où est-il encore ? Et pourquoi prend-il
tout ce qu'il voit ?

LINDA

Il va trop fort avec les filles, Willy... Toutes les
mères ont peur de lui.

WILLY

Oh ! il l'aura, sa volée...

BERNARD

Il conduit la voiture sans permis...

(*On entend le rire de la femme.*)

WILLY

Tais-toi...

LINDA

Toutes les mères…

WILLY, *hors de lui.*

Tais-toi…

BERNARD, *qui s'en va tranquillement.*

En tout cas, M. Birnbaum a dit qu'il le collerait !

WILLY

Fous le camp, toi…

BERNARD

Et, s'il ne travaille pas, il ne passera jamais ses maths !

(Il est parti.)

LINDA

Il a raison, Willy, tu devrais…

WILLY, *une explosion.*

Il est très bien comme il est… Tu aurais envie qu'il devienne un cloporte comme Bernard… Il a de l'esprit… de la personnalité… (*Pendant qu'il parle, Linda, presque en larmes, a quitté la cuisine. Willy reste seul, déprimé, le regard fixe. Le soleil disparaît. La nuit est revenue.*) Plein de personnalité… plein… Qui parle de voler ? Il le rend, non ? Et pourquoi volerait-il ? Est-ce que je lui ai appris, moi ? Est-ce que je lui ai jamais donné autre chose que de bons conseils, moi ?

(Happy, en pyjama, descend les escaliers, venant de sa chambre. Willy remarque brusquement sa présence.)

HAPPY

Si tu allais te coucher, maintenant…

WILLY, *s'asseyant à la table de la cuisine.*

Et pourquoi faut-il qu'elle cire les parquets elle-même ?… Chaque fois qu'elle cire ses parquets, elle a des vertiges… Elle le sait bien…

HAPPY

Chut !… Pas si fort… Qu'est-ce qui arrive ? Pourquoi es-tu rentré cette nuit ?

WILLY

Un trac terrible… j'ai presque écrasé un gosse à Philadelphie. Ah ! Seigneur… Pourquoi ne suis-je pas parti en Alaska, avec mon frère Ben, dans le temps… Ben ! Il avait du génie… il était l'incarnation même du succès… Quelle gaffe ! Quand je pense qu'il me suppliait de partir avec lui…

HAPPY

Tu sais, c'est un peu tard… maintenant…

WILLY

Ah ! mes enfants… un homme qui a commencé tout juste avec les vêtements qu'il avait sur le dos… et qui a fini avec des mines de diamants…

HAPPY, *à peine intéressé.*

J'aimerais tout de même bien savoir comment il
s'y est pris…

WILLY

Oh ! il n'y a pas de mystère… C'est un homme qui
savait ce qu'il voulait… Il est allé le chercher et il l'a
trouvé… C'est tout. Il s'est enfoncé dans la jungle ; il
en est sorti à vingt et un ans… et il était riche. Le
monde, vois-tu, c'est comme une huître… Seulement
ce n'est pas en restant couché sur le dos qu'on arrive
à l'ouvrir…

HAPPY

Un de ces matins, tu prendras ta retraite, hein,
papa… J'en sortirai bien tout seul… pour tout…

WILLY, *révolté.*

Tu en sortiras tout seul, pour tout… avec tes fou-
tus 70 dollars par semaine ? Avec tes filles, ta voiture,
ton appartement, et ma retraite en plus ? Nom de
Dieu… pas moyen d'aller plus loin que Philadelphie
aujourd'hui… Mes enfants… mes enfants… Il n'y a
plus de temps à perdre, je vous jure. Je ne sais même
plus conduire une voiture…

(*Charley apparaît sur le seuil. C'est le voisin, un
homme pesant. Robe de chambre, pantoufles.*)

CHARLEY

Ça va ici ?

HAPPY

Mais oui… Charley…

WILLY

Qu'est-ce que tu veux ?

CHARLEY

J'ai entendu du bruit. Je me suis demandé ce qui arrivait. Il faudrait vraiment faire quelque chose… Ces murs sont d'un sonore ! On éternue ici ? Chez moi, les chapeaux s'envolent !

HAPPY

Allons nous coucher maintenant… Viens…
(*Charley fait signe à Happy de le laisser avec Willy.*)

WILLY

Va toujours… Je ne suis pas fatigué…

HAPPY, à *Willy*.

Cesse de t'en faire, tu veux ?

(*Exit.*)

WILLY

Qu'est-ce que tu fais debout à une heure pareille, toi ?

CHARLEY, *assis en face de Willy*.

Je ne pouvais pas dormir… Douleur au cœur…

WILLY

Tu manges mal.

CHARLEY

Je mange comme on m'a appris.

WILLY

Quel âne !... Je te parle de vitamines et de trucs comme ça.

CHARLEY

Une partie de cartes... pour se fatiguer un peu ?

WILLY, *hésitant*.

Très bien... Tu as des cartes ?

CHARLEY, *qui les a en poche*.

Oui... Je dois les avoir là... Voilà. Qu'est-ce que tu me racontais, avec tes vitamines ?

WILLY, *donnant les cartes*.

Ça fait les os. C'est scientifique.

CHARLEY

C'est possible, mais il n'y a pas d'os dans le cœur.

WILLY

Pourquoi parles-tu de ce que tu ne connais pas...

CHARLEY

Ne te vexe pas, s'il te plaît.

WILLY

Pourquoi veux-tu toujours parler de ce que tu ne connais pas ?

(*Un temps. Ils jouent.*)

CHARLEY

Pourquoi es-tu rentré ?

WILLY

Un petit ennui à la voiture.

CHARLEY

Oh !... (*Un temps.*) J'ai envie de faire un petit voyage en Californie.

WILLY, *presque méchant.*

Pas possible...

CHARLEY

Tu cherches une situation ?

WILLY

J'en ai une de situation... Je te l'ai déjà dit. (*Petit temps.*) D'abord, pourquoi m'offres-tu une situation, toi ?

CHARLEY

Ne te vexe pas...

WILLY

C'est toi qui me vexes !

CHARLEY

Tu ne pourras jamais continuer comme ça, Willy, ça ne tient pas debout !

WILLY

J'ai une belle situation. (*Brusque.*) Pourquoi continues-tu à venir ici ? Qu'est-ce que tu nous veux, à la fin ?

CHARLEY

Tu veux que je m'en aille ?

WILLY, *après un temps, déprimé.*

Je n'y comprends plus rien. Voilà qu'il veut retourner au Texas. Mais pourquoi, sacré nom…

CHARLEY

Laisse-le partir.

WILLY

Je n'ai rien à lui donner, Charley…, je suis sans un sou.

CHARLEY

Il ne mourra pas de faim. Jamais personne ne meurt de faim. N'y pense plus !

WILLY

À quoi penserais-je ? Tu peux me le dire… qu'est-ce qui me reste, à moi ?

CHARLEY

Tu te fais de la bile pour tout. Laisse tomber. Quand tu casses une bouteille consignée, on ne te rend pas ton argent… alors ?

WILLY

Facile à dire, dans ton cas.

CHARLEY

Non, ce n'est pas facile à dire dans « mon » cas.

(*Temps, ils jouent.*)

WILLY

Tu as vu le plafond que j'ai installé dans mon living ?

CHARLEY

Oui... c'est du beau travail. J'en serais bien incapable. Comment as-tu fait ?

WILLY, *méprisant.*

Qu'est-ce que ça peut te foutre...

CHARLEY

Eh bien... explique-moi...

WILLY, *idem.*

Tu vas refaire tes plafonds ?

CHARLEY

Moi ? Je n'y arriverais jamais...

WILLY

Alors, pourquoi diable me fais-tu perdre mon temps ?...

CHARLEY

Ne te vexe pas tout le temps.

WILLY

Un homme qui ne sait pas se servir d'un outil, ce n'est pas un homme. Tiens ! tu me dégoûtes.

CHARLEY

Ne me dis pas que je te dégoûte, Willy.

(*Oncle Ben paraît à l'avant-scène. Il porte une valise et un parapluie. C'est un homme solide, qui a peut-être soixante ans. Autour de lui, sur lui, un air de voyage lointain. Il entre exactement comme Willy parle.*)

WILLY

Je commence à être drôlement fatigué, tu sais, Ben !

(*Celui-ci ne répond pas, mais observe tout ce qui l'entoure.*)

CHARLEY

Parfait... Tu dormiras d'autant mieux. Continue à jouer... Pourquoi m'as-tu appelé Ben ?

(*Ben regarde sa montre.*)

WILLY

Oh ! c'est drôle... Pendant un moment, tu m'as fait penser à mon frère Ben.

BEN

Je n'ai que quelques minutes.

(*Il continue son inspection des lieux. Les autres jouent toujours.*)

CHARLEY

Tu n'as plus jamais entendu parler de lui, hein...
depuis le temps ?

WILLY

Linda ne t'a pas dit ? Nous avons reçu une lettre
de sa femme. Il y a une semaine ou deux. Une lettre
d'Afrique. Pour nous dire qu'il était mort.

CHARLEY

Non...

BEN, *avec un petit ricanement.*

Alors, c'est ça, Brooklyn ?

CHARLEY

Tu vas hériter peut-être.

WILLY

Penses-tu ? Il avait sept fils. J'ai laissé passer la
seule chance de ma vie.

BEN

J'ai un train à prendre, William. J'ai l'œil sur des
terrains en Alaska.

WILLY

Oui, oui. Si je l'avais suivi, cette fois-là, en Alaska,
tout aurait tourné autrement.

CHARLEY

Tu serais mort de froid.

WILLY, *qui n'est pas du tout à la conversation.*
De quoi parles-tu, toi ?

BEN

Il y a des occasions merveilleuses en Alaska, William. Qu'est-ce que tu attends ?

WILLY
Merveilleuses, bien sûr.

CHARLEY

Quoi ?

WILLY, *ayant l'air de se réveiller chaque fois*
que Charley lui parle.
C'était le seul homme que je connaisse qui avait réponse à tout.

CHARLEY

Qui ?

BEN

Tout le monde va bien ?

WILLY, *ramassant un pli, avec un sourire.*
Oui, oui. Très bien.

CHARLEY
Tu es bizarre, ce soir.

BEN
Mère vit toujours avec vous ?

WILLY

Non... il y a longtemps qu'elle est morte...

CHARLEY

Qui ça ?

BEN

Dommage... C'était une dame, hein, mère ?

WILLY, à *Charley*

Qu'est-ce que tu dis, toi ?

BEN

J'avais bien espéré la revoir, tout de même.

CHARLEY

Qui est morte ?

BEN

Et de papa, pas de nouvelles, non ?

WILLY, *énervé.*

Qu'est-ce que tu veux dire avec ton « qui est morte » ?

CHARLEY, *prenant le pli.*

Mais qu'est-ce que tu racontes, Willy ?

BEN, *regardant sa montre.*

William, il est huit heures et demie...

WILLY, *comme s'il cherchait à cacher sa confusion, arrêtant la main de Charley.*

Le pli est à moi.

CHARLEY

Mais j'ai jeté l'as.

WILLY

Si tu t'imagines que je vais continuer à flanquer mon argent en l'air sous prétexte que tu ne connais pas le jeu...

CHARLEY, *debout*.

Mais j'ai jeté l'as, sacré nom !

WILLY

J'en ai marre, tiens, je ne joue plus.

BEN

Quand mère est-elle morte ?

WILLY

Il y a longtemps. (*Devant l'œil surpris de Charley, il se rattrape.*) Il y a longtemps que tu joues mal. Tu n'as jamais su jouer convenablement.

CHARLEY, *ayant ramassé les cartes et allant pour sortir*.

Parfait. La prochaine fois, j'apporterai un jeu avec cinq as.

WILLY

Je ne joue pas ce genre de jeux-là !

CHARLEY

Tu devrais avoir honte, tiens !

WILLY

Ah oui ?

CHARLEY

Oui !

(*Il sort furieux, mais manifestement habitué à ces scènes.*)

WILLY, *claquant la porte derrière Charley.*
Imbécile ! (*La lumière change, Ben s'avance.*) Ben !

BEN

Ainsi c'est toi, William.

WILLY, *lui prenant les mains.*
Ben, si tu savais comme il y a longtemps que je t'attends. Il y a longtemps que j'attends la réponse. Comment as-tu fait ?

BEN

Oh ! c'est toute une histoire.
(*Linda entre en scène. Rajeunie, elle aussi.*)

LINDA

Bonjour. Vous êtes Ben, n'est-ce pas ?

BEN, *galant.*
Comment allez-vous, ma chère ?

LINDA

Où avez-vous disparu pendant toutes ces années ?...
Willy se demandait...

WILLY

Où est papa ? Il n'était pas avec toi ? Comment as-tu commencé tout ça ?

BEN

D'abord, je ne sais pas jusqu'où vont tes souvenirs.

WILLY

Oh ! moi... j'étais tout gosse... Qu'est-ce que je pouvais bien avoir ? Trois ou quatre ans.

BEN

Trois ans, onze mois.

WILLY

Quelle mémoire, Ben !

BEN, *important*.

J'ai brassé des tas d'affaires, William. Et je n'ai jamais tenu la moindre comptabilité.

WILLY

Je me souviens. J'étais assis dans la voiture... C'était dans le Nebraska, non ?

BEN

C'était dans le South Dakota. Je t'avais apporté un bouquet de fleurs sauvages.

WILLY

Et je te vois encore t'éloigner sur une route sans ombre.

BEN

J'allais retrouver père en Alaska.

WILLY

Qu'est-ce qu'il est devenu ?

BEN, *de bons rires.*

À cet âge, j'avais une idée plutôt vague de la géographie... William. Je me suis aperçu, après quelques jours, que j'allais vers le sud. Ce qui fait qu'au lieu d'arriver en Alaska... j'ai fini en Afrique.

LINDA

En Afrique...

WILLY, *rêveur.*

La Côte d'Or.

BEN

Mines de diamants surtout.

LINDA, *éblouie.*

Des mines de diamants !

BEN

Oui, ma chère... Je n'ai que quelques minutes, hélas !

WILLY

Une seconde... les garçons... les garçons ! (*Happy et Biff, jeunes, entrent.*) Écoutez tous les deux. Voici votre oncle Ben... C'est un grand homme. Raconte-leur, Ben !

BEN

Eh bien, mes garçons, je me suis enfoncé dans la jungle à dix-sept ans. J'en suis ressorti à vingt et un. (*Petit rire.*) Et Dieu me damne, j'étais riche.

WILLY

Hein ! Qu'est-ce que je vous disais ? Tout est possible dans la vie... Tout arrive.

BEN, *avec sa montre toujours.*

J'ai un rendez-vous au Cameroun mardi en huit.

WILLY

Non, Ben, une seconde. Parle-nous de père. Je veux que mes garçons t'entendent. Je veux qu'ils sachent d'où ils sortent. Je veux qu'ils sachent quelle est leur souche. Tout ce que je me rappelle, moi, c'est un homme avec une grande barbe. J'étais sur les genoux de maman, autour d'un feu... Il y avait de la musique... Très haut.

BEN

Sa flûte. Il jouait de la flûte.

WILLY

De la flûte, oui. C'est bien ça.

BEN

Père était un homme noble et sauvage. Un homme libre aussi. Nous venions de Boston. Un beau jour, il avait entassé toute la famille dans la voiture, et il avait conduit son monde à travers tout le pays. À travers l'Ohio, l'Indiana, le Michigan et l'Illinois… et tous les États de l'Ouest. Et nous nous arrêtions dans les villes pour vendre les flûtes qu'il avait fabriquées en chemin. Un inventeur, père ! Un grand inventeur. Avec une seule de ses idées, il faisait plus d'argent en une semaine qu'un type comme toi pendant toute sa vie.

(*Il finit dans un rire qui blesse un peu les autres.*)

WILLY

C'est exactement comme ça que je les élève, Ben. Des types solides, rudes. Des types que tout le monde aime.

BEN

Oui ? (*À Biff.*) Cogne là, mon garçon… (*Montrant son estomac.*) Cogne aussi dur que tu peux.

BIFF

Oh, non ! monsieur…

BEN, *en position de garde.*
Allons… cogne…

(*Il rit.*)

WILLY

Eh bien ! vas-y, Biff.. Montre-lui.

BIFF

Parfait.

(*Il ferme les poings et attaque.*)

LINDA, *à Willy.*

Pourquoi faut-il qu'ils se battent, Willy ?

BEN, *qui esquive.*

Très bien. Très bien.

WILLY

Qu'est-ce que tu dis de ça, hein, Ben ?

HAPPY

Essaye ton gauche, Biff !

LINDA

Mais pourquoi faut-il qu'ils se battent ?

BEN

Bien, mon garçon.

(*Brusquement, il attaque, renverse Biff et se tient debout devant lui, le terrassant, la pointe de son parapluie menaçant l'œil du jeune homme.*)

LINDA

Biff… attention !

BIFF

Nom de Dieu…

BEN, *avec une bourrade affectueuse.*

Tu sauras qu'on ne se bat jamais loyalement avec un étranger, petit homme. On n'en sortirait jamais, de la jungle, comme ça… (*Penché sur la main de Linda.*)

Un honneur et un plaisir de vous avoir rencontrée, Linda.

LINDA, *refroidie, presque effrayée,*
retirant sa main.

J'espère... que vous ferez un bon voyage.

BEN, *à Willy.*

Bonne chance dans les affaires... Qu'est-ce que tu fais à propos ?

WILLY

Représentant.

BEN

Ah oui ? Très bien.
(*Un geste d'adieu de la main vers tout le monde.*)

WILLY

Ben, je ne voudrais pas que tu t'imagines... (*Accroché au bras de Ben.*) D'accord, nous sommes à Brooklyn, mais nous aussi, nous nous battons.

BEN

Pas possible.

WILLY

Nous aussi, nous faisons notre chemin à la force du poignet. Mes enfants... écoutez-moi. Allez me chercher du sable au chantier là... où ils construisent le nouvel immeuble, vous savez bien... On va réparer

la façade… et tout de suite. Tu m'en diras des nouvelles, Ben…

BIFF

Entendu, m'sieu… Au galop, Happy !

HAPPY, *suivant Biff, sort en courant.*

J'ai perdu du poids, papa… Tu as remarqué ?
(*Charley entre, en pantalon de golf, au moment où
les deux garçons disparaissent.*)

CHARLEY

Vous savez que le gardien du chantier leur mettra
des agents au derrière s'ils volent encore la moindre
chose, hein ?

LINDA, *à Willy.*

Empêche Biff.

(*Ben rit, comblé, ravi.*)

WILLY

La semaine passée, ils m'ont rapporté du bois de
charpente… du bois magnifique. Il y en avait sûrement pour un tas d'argent.

CHARLEY

Je ne plaisante pas. Si le gardien les coince…

WILLY

Bien entendu, je leur ai lavé la tête. N'empêche que
j'ai deux petits gars courageux. Ils n'ont peur de rien.

CHARLEY

Willy, il y a des tas de types qui n'ont peur de rien dans les prisons.

BEN, *une grande tape dans le dos de Willy*.
Et dans les couloirs de la Bourse donc !

WILLY, *un rire parallèle à celui de Ben*.
Mais, ma parole, tu as perdu la moitié de tes pantalons.

CHARLEY
Ma femme me les a achetés.

WILLY
Il ne te manque plus qu'un bon club de golf. Et tu vas te coucher bien tranquillement. (*À Ben.*) Je te présente un athlète. Ils s'y mettraient à deux, son fils Bernard et lui, qu'ils seraient incapables d'enfoncer un clou.

BERNARD, *entrant en courant*.
Le gardien est aux trousses de Biff.

WILLY
Tais-toi, petit imbécile. Biff n'a rien volé.

LINDA, *alarmée, sortant*.
Où est-il ? Biff... Biff chéri !...

WILLY, *un mouvement pour la suivre
et s'écartant de Ben*.
Mais qu'est-ce qui te prend, toi ? Il n'y a rien de grave, voyons.

BEN

Il a de bons nerfs, ton garçon ?

WILLY, *avec un rire*.

En or, mon vieux... des nerfs en or.

CHARLEY

Tu sais que mon représentant de New England est rentré bredouille ? Crevé de fatigue, mais bredouille.

WILLY

Question de relations, mon ami. Moi, j'en ai des relations.

CHARLEY, *avec un rire sarcastique*.

Vraiment ? Eh bien ! j'en suis ravi. À tout à l'heure. Je viendrai faire une petite partie de cartes, histoire de te rafler un peu de l'argent que tu te fais... hein... avec tes relations.

(*Exit.*)

WILLY, *à Ben*.

Les affaires sont mauvaises... mauvaises... (*Humble.*) Pas pour moi, bien sûr... mais tout de même.

BEN

Je passerai par ici, sur le chemin du retour, avant l'Afrique.

WILLY, *presque suppliant*.

Tu es sûr que tu ne peux pas rester quelques jours ?... J'en aurais besoin... Parce que... Oh...

naturellement, j'ai une situation du tonnerre... mais...
je vais te dire... j'étais tout gosse quand papa nous a
quittés, hein... je n'ai jamais pu parler de lui à personne... et je me sens un peu vague... parfois...
comme si tout était provisoire... tu comprends ?

BEN

Je suis en retard... en retard pour mon train.

(*Ils sont très loin l'un de l'autre, aux deux extrémi-
tés de la scène.*)

WILLY

Ben... j'aurais tant voulu te parler de mes deux
garçons. Ils se jetteraient au feu pour moi... c'est certain... mais...

BEN

William... Tu es de premier ordre pour tes fils...
de premier ordre. Ce sont des garçons énergiques...
des garçons supérieurs.

WILLY, *suspendu aux lèvres de Ben.*

Oh ! Ben... Si tu savais comme tu me fais plaisir.
J'avais tellement besoin de t'entendre dire ça... parce
que, quelquefois, j'en suis à me demander si je m'y
prends bien pour les élever. Comment faut-il s'y
prendre, Ben ?

BEN, *pesant ses mots, presque agressivement.*

William, quand je me suis enfoncé dans la
jungle, j'avais dix-sept ans. Quand j'en suis ressorti,

j'en avais vingt et un. Et Dieu me damne, j'étais riche.

(*Il s'enfonce dans l'obscurité.*)

WILLY

Riche... oui... c'est exactement l'esprit que j'essaie de leur inculquer. Oser s'enfoncer dans la jungle, hein... j'avais raison... j'avais raison.

(*Ben s'est évanoui, mais Willy lui parle toujours. Linda, en robe de chambre, sort de la chambre à coucher, ne trouve pas Willy dans la cuisine, sort de la maison et le découvre dans un coin du jardin. Elle descend à lui. Il la regarde.*)

LINDA

Willy, chéri... Willy... Willy...

WILLY

J'avais raison.

LINDA

Tu as mangé ? (*Pas de réponse.*) Il est très tard, tu sais... Viens... Au lit maintenant.

WILLY, *le nez en l'air.*

On se dévisserait la gueule plutôt que de trouver une seule étoile là-haut.

LINDA

Viens, Willy, je t'en prie...

WILLY

Qu'est-ce qu'elle est devenue, la montre en diamants... Tu te rappelles ? Quand Ben est revenu
d'Afrique... Il m'avait donné une montre avec un diamant. Non ?

LINDA, *un peu étonnée tout de même.*

Tu l'as mise au clou, chéri, il y a douze ans... peut-
être treize, pour payer les cours de radio de Biff...

WILLY

C'était un bel objet... tu te rappelles... (*Vague,
triste.*) Je vais faire un petit tour...

LINDA

Mais tu es en pantoufles...

WILLY, *partant vers la gauche de la maison.*

J'avais raison, oui... j'avais raison. (*Hochant la
tête, en marchant, parlant peut-être même un peu à
Linda.*) Quel bonhomme ! Quel bonhomme c'était...
J'avais raison... Ça valait la peine de lui parler à celui-
là... J'avais raison.

LINDA, *derrière lui.*

Mais tu es en pantoufles, Willy.

(*Willy disparaît à peine que Biff en pyjama descend
les escaliers et entre dans la cuisine.*)

BIFF

Mais qu'est-ce qu'il fait là dehors ?

LINDA

Chut !

BIFF

Pour l'amour de Dieu, maman… Depuis combien de temps est-il comme ça ?

LINDA

Tais-toi… Il pourrait t'entendre…

BIFF

Qu'est-ce qu'il a dans la tête ?

LINDA

Demain matin on n'en parlera plus.

BIFF

On devrait faire quelque chose, non ?

LINDA

Il y a tant de choses qu'on devrait faire, chéri. Tant de choses… C'est inutile. Va te coucher.

(*Happy descend à son tour et s'installe sur les marches.*)

HAPPY

Il n'a jamais été aussi fort, tu sais, maman.

LINDA

Allons donc ! Si tu étais là plus souvent, tu en entendrais d'autres.

(*Elle s'assied à la table et inspecte le veston de Willy.*)

BIFF

Pourquoi ne m'as-tu rien fait savoir ?

LINDA

Comment aurais-je pu ? Voilà trois mois que tu es sans adresse.

BIFF, *très réservé.*

J'étais en route… mais je pensais à toi, tous les jours… Tu le sais au moins… hein… tu le sais ?

LINDA

Je sais, mon chéri… Seulement, lui, il aime une lettre de temps à autre. Pour se donner une raison d'espérer… d'attendre un avenir un peu plus heureux.

BIFF

Il n'est pas comme ça tout le temps, hein ?

LINDA

C'est quand tu reviens qu'il va le plus mal.

BIFF, *sur ses gardes.*

Quand je reviens ?

LINDA

Quand tu annonces ton retour. Oh ! alors… il est tout sourire… et il déborde de plans, de projets. Il est merveilleux, ça, oui. Mais, au fur et à mesure que tu te rapproches de nous, il change ; et, quand tu es là, il

83

s'en fait, il a l'air fâché contre toi. Pourquoi ? Comment ça se fait-il ? Pourquoi vous détestez-vous ?

BIFF, *évasif.*

Je ne le déteste pas, maman.

LINDA

Tu es là depuis cinq minutes, vous vous mangez le nez !

BIFF, *idem.*

C'est plus fort que moi, maman. Je voudrais changer. J'essaie. Seulement...

LINDA

Tu as l'intention de rester à la maison, cette fois-ci ?

BIFF

Je ne sais pas encore. J'ai envie de prendre le vent... de voir un peu comme ça tourne.

LINDA

Biff... on ne peut pas, toute sa vie, attendre de voir comment ça tourne.

BIFF

Je ne peux pas me fixer, maman. Je ne peux pas arriver à me fixer.

LINDA

Mais les hommes ne sont pas des oiseaux, Biff, qui vont et viennent avec le printemps.

BIFF, *brusque.*

Tes cheveux… (*Il lui touche les cheveux.*) Tes cheveux sont devenus gris.

LINDA, *une excuse presque.*

Tu étais encore à l'école supérieure qu'ils étaient déjà gris. J'ai seulement cessé de les teindre, voilà tout.

BIFF

Il faudra recommencer, tu sais. Je ne veux pas que ma petite amie vieillisse.

LINDA

Tu es un enfant, Biff… Tu t'imagines que tu peux t'en aller pour un an… comme ça. Et que rien ne change derrière toi. Mets-toi dans la tête qu'un jour tu rentreras là… que tu frapperas à la porte et que tu trouveras des étrangers installés dans la maison.

BIFF

Mais qu'est-ce que tu racontes… tu n'as même pas soixante ans.

LINDA

Et ton père… tu y penses, à ton père ?

BIFF, *mollement.*

Lui aussi, bien sûr.

HAPPY, *à tout hasard.*

Biff admire beaucoup papa, tu sais.

LINDA

Biff, mon chéri... comment pourrais-tu m'aimer, moi, si lui, tu ne l'aimes pas ?

BIFF

C'est pourtant simple...

LINDA

Non, ce n'est pas simple. Tu ne pourrais même plus venir me voir, moi... parce que moi, je l'aime. (*Un sanglot qui passe vite, mais un sanglot.*) Il est ce que j'ai de plus cher au monde... et je ne permettrai à personne de lui faire de la peine. Il faudrait cesser de te laisser aller à la dérive, Biff... et prendre une décision. Ou bien il est ton père, et tu le respectes... ou bien tu cesses de nous voir. Je sais qu'il n'est pas toujours facile à vivre... Personne ne le sait mieux que moi, mais...

WILLY, *sa voix, son rire, dans le jardin.*

Hé... hé... Bi-iff...

BIFF, *avec un mouvement comme pour sortir.*

Mais qu'est-ce qu'il a ? nom de Dieu !

(*Happy l'arrête.*)

LINDA

N'y va pas.

BIFF, *hurlant.*

Si tu cessais de lui chercher des excuses ? Non ! Il t'a toujours traînée dans la boue. Il ne t'a jamais respectée.

86

HAPPY

Il a toujours respecté maman.

BIFF

Qu'est-ce que tu en sais ?

HAPPY

Je te défends de dire qu'il est fou.

BIFF

Il n'a aucun caractère, voilà le drame. Tu crois que Charley se conduirait comme ça... dans sa maison, qu'il vomirait dans tous les coins les petites ordures qu'il a dans la tête ?

HAPPY

Charley n'a jamais eu les mêmes ennuis que lui non plus.

BIFF

Il y a des gens qui ont des ennuis plus graves que ceux de Willy Loman, crois-moi ! J'en connais.

LINDA, *très vive, elle aussi.*

Alors, prends Charley pour père, Biff, si tu peux. Si tu y arrives. Je ne dis pas que Willy Loman est un homme important. Il n'a jamais gagné beaucoup d'argent, son nom n'a jamais été en première page des journaux du soir. Il n'est pas l'être le plus extraordinaire qui ait jamais vécu. Il est un être humain, voilà tout. Il n'y a pas de raisons pour qu'on n'essaie pas un peu de l'aider. Tu l'as traité de fou...

BIFF

Mais je ne voulais pas.

LINDA

Il y a pas mal de gens qui pensent qu'il a perdu... l'équilibre... mais il ne faut pas être très malin pour comprendre la vérité. La vérité, c'est que c'est un homme épuisé. Voilà.

HAPPY

Absolument.

(*Il le dit vaguement, comme un enfant boudeur. Biff lui lance un regard furieux.*)

LINDA

Un homme sans importance a le droit d'être épuisé comme les autres, comme ceux qui bouleversent la face du monde d'un seul de leurs gestes. Voilà trente-six ans qu'il travaille pour la même compagnie... trente-six ans en mars prochain... et, maintenant que le voilà vieux, on lui enlève son fixe.

HAPPY, *indigné.*

Mais je ne savais pas ça, maman.

LINDA

Est-ce que tu m'as demandé quelque chose, petit ? Est-ce que tu t'occupes encore de tout ça, maintenant que tu trouves ailleurs l'argent que tu dépenses ?

HAPPY

Mais je t'ai donné de l'argent.

LINDA

À Noël, oui... 50 dollars. (*Lassée.*) Rien que pour réparer le chauffe-eau, on en a eu pour 87 dollars 50. Depuis cinq semaines, il travaille à la commission, comme un débutant. Comme un inconnu.

BIFF, *rageur.*

Des voyous ! Des voyous ! Tous plus ingrats les uns que les autres.

LINDA

Pas plus ingrats que ses propres fils, si vous voulez que je vous le dise ! Il est là tout seul, dans sa voiture, à conduire pendant 700 milles. Et, quand il arrive à destination, personne ne le connaît, personne ne l'attend. Est-ce qu'on sait tout ce qui peut traverser l'esprit d'un type qui fait 700 milles tout seul ? Sans avoir gagné un cent ? Et il parle tout seul. Et alors ? Et il va trouver Charley, et il le tape de 50 dollars... et il essaie de me faire croire qu'il les a gagnés. Et vous croyez que ça peut durer toujours, ça ? Et qu'est-ce qu'il a comme récompense, voulez-vous me le dire ? Soixante-trois ans. Soixante-trois ans, et voir ce que sont devenus ses deux fils... ses deux fils qu'il aime plus que tout au monde : un coureur...

HAPPY, *vexé.*

Maman...

(*Biff le regarde toujours, presque méprisant.*)

LINDA

Un coureur... c'est ce que tu es, mon ange. (*À Biff.*) Et toi ! Et l'amour que tu lui portais ? Vous étiez plus que père et fils. Vous étiez des amis. Et tu lui téléphonais tous les soirs. Et il ne vivait pas de toute la journée, impatient qu'il était de rentrer pour te retrouver.. toi...

BIFF, *refusant évidemment la discussion.*

Bon, bon... je reprendrai ma chambre là-haut. Je trouverai du travail... je me tiendrai un peu à l'écart, c'est tout.

LINDA

Non, Biff, tu ne peux pas vivre ici, avec lui, et te battre tout le temps avec lui !

BIFF

Il m'a flanqué à la porte de cette maison, si tu veux bien...

LINDA

Pourquoi ? Je n'ai jamais su pourquoi ?

BIFF, *fermé.*

C'est un tricheur. Moi, je le sais, que c'est un tricheur. Moi, je le connais tel qu'il est.

LINDA

Un tricheur ? Pourquoi un tricheur ? Comment ? Pourquoi ?

BIFF

Il ne faudrait tout de même pas tout rejeter sur mon dos... hein ? C'est une affaire entre lui et moi, voilà tout ! Je travaillerai. Je lui donnerai la moitié de ce que je gagne. Il sera à l'abri de tout. Bonsoir.

(*Mouvement de sortie.*)

LINDA

Il ne sera pas à l'abri de tout.

BIFF, *rageur, depuis les marches.*

Je hais cette ville. Je la hais et je vais y rester... Qu'est-ce que tu veux de plus ?...

LINDA

Cet homme est occupé à mourir, Biff.

(*Happy se retourne vers elle vivement.*)

BIFF, un *temps.*

À mourir ?

LINDA

Il a essayé de se suicider.

91

BIFF, *de l'horreur.*

Comment ?

LINDA

Moi, je tiens le coup… mais c'est au jour le jour…

BIFF

Qu'est-ce que tu dis ?

LINDA

Je t'ai écrit qu'il avait eu un accident de voiture. Non ? Tu te rappelles ? En février ?

BIFF

Et alors ?

LINDA

L'inspecteur de l'assurance est venu. Il m'a dit… il m'a dit qu'ils avaient la preuve… la preuve que tous ses accidents de voiture des dernières semaines… n'étaient pas des accidents.

HAPPY

Ils mentent… Comment peut-on prouver ça ?

LINDA

Il y a une femme… (*Elle fait un petit temps, Biff, vite, laisse échapper : « Quelle femme ? » puis se tait tout de suite. Presque en même temps que lui, Linda continue*)… et cette femme. Qu'est-ce que tu disais ?

BIFF, *se réveillant.*

Moi ? Rien. Continue.

LINDA

Mais qu'est-ce que tu viens de dire, toi ?

BIFF

Rien ! J'ai dit : « Quelle femme ? » C'est tout.

HAPPY, *haussant les épaules.*

Continue, maman.

LINDA

Eh bien... il paraît que cette femme était sur la route, et qu'elle a très bien vu la voiture. Elle a déclaré qu'il ne conduisait pas vite du tout... qu'il n'avait pas dérapé du tout. Elle a déclaré qu'il était arrivé sur le petit pont, et que, délibérément, il avait lancé la voiture dans le parapet. C'est uniquement parce qu'il n'y a pas d'eau à cet endroit-là qu'il s'en est sorti. Voilà.

BIFF

Il se sera endormi au volant. Ce n'est pas la première fois.

LINDA

Je ne crois pas qu'il s'était endormi.

BIFF

Pourquoi pas ?

93

LINDA

Le mois passé… (*Elle a du mal à parler.*) Oh ! mes enfants… quand je pense que, pour vous, il représente si peu de chose, et que moi, je sais tout ce qu'il y a en lui. (*Un sanglot.*) Le mois passé, il y avait un plomb à remplacer… j'étais descendue à la cave… et j'ai trouvé… enfin, j'ai fait tomber… un tuyau de caoutchouc.

HAPPY

Un tuyau de caoutchouc ?

LINDA

Oui. J'avais déjà remarqué qu'il avait installé une prise de gaz sur la conduite, juste au-dessus du chauffe-eau…

HAPPY

Et alors ?

LINDA, *révoltée.*

Tu ne comprends pas, non ? Une nouvelle prise, et un tuyau pour amener le gaz jusque dans la petite remise, là, derrière… tu ne comprends pas, non ?

BIFF

Mais qu'est-ce que ça prouve, maman ? Pourquoi aurait-il besoin de toute cette mise en scène ? Le chauffe-eau lui suffirait s'il avait ça dans la tête.

LINDA

Il y a une veilleuse de sécurité au chauffe-eau. Pas moyen d'avoir du gaz sans l'avoir allumée. Et il le sait bien !

BIFF, *chez qui la crainte monte.*

Tu l'as fait enlever, j'espère, cette nouvelle prise de gaz ?

LINDA, *en larmes.*

Je n'ai pas osé. Comment pourrais-je le lui dire en face ? C'est son secret. C'est son tourment. Biff... il avait mis toute sa force en vous, et vous lui avez tourné le dos. Biff... je te le jure devant Dieu... sa vie est entre tes mains.

HAPPY, *évasif.*

Écoute-moi cette grande folle. Voyons.. voyons.

BIFF

Cesse de t'en faire, ma grande folle. (*Il l'embrasse.*) Tout va s'arranger. J'ai été négligent, je sais. Mais, maintenant, je vais rester là et faire mon possible, maman, je te le jure. (*À genoux devant elle, presque fiévreux.*) C'est que, tu vois, maman, le malheur... c'est que je ne comprends rien aux affaires. Ce n'est pas faute d'essayer, tu sais ! J'ai essayé, j'essaierai encore... peut-être que je réussirai cette fois-ci.

HAPPY

Bien sûr que tu réussiras. Tu n'as eu qu'un seul tort dans les affaires, jusqu'ici. Tu n'as jamais fait d'effort pour plaire aux gens.

BIFF, *sec.*

Je sais.

HAPPY

Quand tu travaillais chez Harrison, par exemple. Bob Harrison te portait aux nues... et voilà que tu te mets à chanter et à siffler une chanson idiote dans l'ascenseur.

BIFF, *tout de suite dressé contre Happy.*

Et après ? Si ça me plaît à moi, de siffler.

HAPPY

Tu t'imagines qu'on donne de l'avancement à un type qui siffle dans l'ascenseur ?

LINDA

Ce n'est pas le moment de discuter ça, tout de même.

HAPPY

C'est comme quand Monsieur sortait au milieu de la journée et allait nager au lieu de prendre son service.

BIFF

Ça ne t'arrive jamais peut-être ? Monsieur ne prend jamais une demi-journée l'été ? Quand il fait beau ? Non ? Monsieur est un saint ?

HAPPY

Si… mais je ne me coupe pas…

LINDA

Mes enfants…

HAPPY

Quand je me paie une petite sortie, le patron peut appeler n'importe quel numéro où j'aurais une chance de me trouver, on lui jurera partout que je viens de sortir. Seulement, je vais te dire… même que ça ne me fait pas plaisir de te le dire, mais je te le dis quand même : il y a pas mal de gens, dans le monde des affaires, qui pensent que tu es un petit peu fou.

BIFF

J'emmerde le monde des affaires.

HAPPY

Parfait… parfait ! Tu l'emmerdes… parfait… mais ne te coupe pas…

LINDA

Happy, je t'en prie…

BIFF

Je me fous de ce qu'ils pensent, tu vois ? Ils se sont moqués de papa pendant des années… tu tiens à savoir pourquoi ? Parce que nous ne trouvons pas notre place dans cette ville de louftingues. Nous devrions fabriquer du ciment en plein air... ou construire des toitures, et un charpentier, ça a le droit de siffler, en plus...

(*Willy entre en scène brusquement.*)

WILLY

Ton grand-père, déjà, était plus qu'un charpentier. (*Un temps. Tout le monde observe Willy.*) Tu as quinze ans, Biff ; tu auras toujours quinze ans. Bernard ne siffle pas dans les ascenseurs. Je puis te l'assurer.

BIFF, *pour gagner Willy par un rire.*

Possible, mais toi... tu le fais.

WILLY

De ma vie, je n'ai sifflé dans un ascenseur. Tiens-le-toi pour dit. Et, dans le monde des affaires, personne ne pense que « moi », je suis un fou.

BIFF, *toute colère retombée.*

Je ne voulais pas dire ça, papa. Ne prends pas tout au tragique.

WILLY

Retourne dans l'Ouest. Fais le charpentier, garde tes vaches... Amuse-toi...

LINDA

Mais, Willy, il disait justement...

HAPPY, *plein de bonnes intentions.*

Papa... si tu voulais bien...

WILLY, *couvrant ce bel effort,*
sans forcer le ton.

Et ils se moquent de moi, hein ? Va dans n'importe quel grand magasin, à Boston, entre et dis tout haut le nom de Willy Loman... tu verras ce qui arrivera. C'est un type que tout le monde connaît !

BIFF, *soupirant.*

Bien, papa.

WILLY

Tout le monde !

BIFF, *idem.*

Très bien.

WILLY

Pourquoi cherches-tu toujours à m'insulter ?

BIFF

Je n'ai pas dit un mot contre toi. (*À Linda.*) J'ai dit un seul mot contre lui ?

LINDA

C'est vrai, Willy, pas un mot, c'est vrai.

WILLY, *vers sa chambre.*

Tant mieux alors. Bonsoir.

LINDA

Willy chéri ! Biff vient de prendre la décision...

WILLY, *à Biff.*

Si, par hasard, tu en avais marre d'être là à ne rien faire, demain matin, tu pourrais peut-être peindre le plafond que j'ai installé dans le living ?

BIFF

Je sors demain matin. Tôt.

HAPPY

Il va voir Bill Olliver, papa.

WILLY, *intéressé.*

Olliver ? Pour quoi faire ?

BIFF, *sur ses gardes, mais sincère.*

Il a toujours dit qu'il me donnerait un coup de main. J'ai envie de me remettre un peu aux affaires. Je vais lui en parler...

LINDA

Ce serait merveilleux, tu ne trouves pas ?

WILLY

Laisse-le parler ! Qu'est-ce que ça pourrait bien avoir de merveilleux ? Il y a cinquante types dans New York qui seraient enchantés de lui donner un coup de main. (*À Biff.*) Articles de sport ?

BIFF

Oui... je connais un peu le marché.

WILLY

Il connaît un peu le marché ! Non, mais écoutez-le... Tu connais le marché comme personne, oui... Qu'est-ce qu'il t'offre ?

BIFF

Comment veux-tu que je te réponde ? Je ne l'ai pas encore vu...

WILLY

Qu'est-ce que tu me racontes alors ?

BIFF, *qui s'énerve.*

J'ai dit que j'avais « l'intention » d'aller le voir... c'est tout.

WILLY, *détourné.*

Ah ! oui... je vois... on fait des projets une fois de plus !

BIFF, *partant dans l'escalier.*

Oh ! merde... Tiens, j'aime encore mieux aller me coucher.

WILLY, *des cris.*

Pas de grossièretés dans cette maison.

BIFF

Depuis quand fais-tu la petite bouche ?

HAPPY, *cherchant à les arrêter tous les deux.*

Je vous en prie...

WILLY, *idem.*

Je te défends de me parler sur ce ton, tu entends ?... Je te défends.

HAPPY, *accroché à Biff, hurle.*

Je vous en prie... laissez-moi parler... j'ai une idée. Une idée de première, et j'aimerais autant qu'on en discute tout de suite... Et qu'on essaie tous d'y voir un peu clair. La dernière fois que j'ai été en Floride, j'ai pensé à des tas de moyens de vendre des articles de sport. Et voilà tout d'un coup que ça me revient. Biff, toi et moi... on lance un genre... un type... le genre Loman. On fait un entraînement de quelques semaines et on commence les démonstrations, tu saisis ?

WILLY

Pas mauvaise, son idée.

HAPPY

Laisse-moi dire... On forme deux équipes de football, tu saisis ? Ou deux équipes de waterpolo... et nous jouons l'un contre l'autre. C'est une publicité qui vaut des millions. Deux frères, tu saisis ? Les deux frères Loman. On fait des petites expositions dans tous les halls d'hôtel... Et des fanions sur les terrains de sport : « Les Frères Loman ». Mon vieux, on en vendrait, tu sais, des articles de sport.

WILLY

Elle vaut un million, son idée.

LINDA

C'est magnifique.

BIFF

Et ça tombe bien, je n'ai jamais été en meilleure forme.

HAPPY

Et ce qu'il y a de plus excitant, hein ! Biff, c'est que ça n'est pas du tout comme un métier ordinaire... Le terrain. Les matches.

BIFF, *enthousiasmé*.

Tu parles...

WILLY

Un million de dollars.

HAPPY

Tu n'aurais aucune raison de t'en fatiguer, Biff ! La famille réunie. Comme avant. Les honneurs, comme avant.. Et, quand tu aurais envie de faire un petit tour, ou d'aller nager... tu le ferais sans te gêner... sans que personne puisse venir te donner des ordres.

WILLY

Oh ! mes enfants, vous vous donneriez un peu de mal... vous pourriez mettre le monde entier sur le cul... le monde entier.

BIFF

Je verrai Olliver demain matin, Happy.

LINDA

Ah ! si les choses pouvaient commencer à s'arranger...

WILLY

Mais n'interromps pas tout le temps. (*À Biff.*) Habille-toi pour aller voir Olliver... Pas de veston sport... ou de pantalon de flanelle.

BIFF

Non, non, je...

WILLY

Un costume sérieux... un costume d'homme d'affaires. Et parle le moins possible... sans faire tes bonnes grosses blagues.

BIFF

Il m'aimait bien, tu sais... Il m'aimait vraiment bien.

LINDA

Il t'adorait, oui.

WILLY

Quand tu auras fini, toi... (*À Biff.*) Tu entres sérieusement. Tu ne vas pas te présenter pour une place de débutant, hein ? Bon. Il y a de l'argent à la clef. Sois tranquille, distingué, sérieux. Tout le monde aime les blagueurs, mais personne ne leur prête de l'argent.

HAPPY

J'essaierai d'en ramasser un peu aussi, moi, Biff... je suis sûr qu'il y a moyen.

WILLY

Je vous prédis un bel avenir, mes petits enfants... Et je vous prédis que les ennuis sont finis. Et mettez-vous bien ceci dans la tête : il faut demander beau-coup pour obtenir beaucoup. Demande quinze mille dollars. Combien allais-tu demander ?

BIFF, *mou.*

Est-ce que je sais, moi...

WILLY, *tout de suite énervé.*

Ne dis pas « Est-ce que je sais, moi ? » comme si tu avais quinze ans. Quand un homme entre quelque part avec l'intention de soulever quinze mille dollars, il ne dit pas : « Est-ce que je sais, moi ? »

BIFF

Remarque : dix suffiraient...

WILLY

Ne fais pas le modeste. Tu pars toujours de trop bas. Entre... avec un bon rire. N'aie pas l'air sou-cieux, surtout. Commence par une ou deux petites histoires, pour relever l'atmosphère. Ce n'est pas telle-ment ce qu'on dit qui compte... c'est la façon de le dire. C'est la personnalité qui l'emporte.

LINDA

Olliver a toujours eu la meilleure opinion de lui.

WILLY, *criant.*

Tu veux me laisser parler, dis ?

BIFF

Ne crie pas comme ça, papa.

WILLY

J'avais la parole, non ?

BIFF, *le ton monte.*

Je n'aime pas t'entendre crier après elle, et je te le dis, c'est tout.

WILLY

Mais dis donc, mon petit ami, tu essaies de diriger la maison, ou quoi ?

LINDA

Willy...

WILLY, *se retournant contre elle avec fureur.*

Toi, sacré nom ! J'aimerais bien que tu cesses de lui donner raison.

BIFF, *hors de lui.*

Cesse de crier après elle !

WILLY, *chute brusque, un homme battu et abattu presque coupable.*

Bien des choses de ma part à Olliver... peut-être qu'il se souvient de moi...

(*Il disparaît dans sa chambre.*)

LINDA, *à mi-voix.*

Tu avais besoin de te mêler de ça... (*Biff se détourne.*) Tu n'as pas vu comme il s'était radouci, quand tu lui disais tes projets ? Quand il te voyait plein d'espoir ? (*Rejoignant Biff.*) Suis-le..., souhaite-lui bonne nuit... Ne le laisse pas aller au lit comme ça.

HAPPY

Allons, Biff, un bon mouvement... pour le remonter.

LINDA

Je t'en prie, chéri, un petit « bonsoir, papa », tout simplement. Il faut si peu de chose pour le rendre heureux... Viens. (*Elle sort à son tour, criant vers l'étage.*) Tes pyjamas sont dans la salle de bain, Willy.

HAPPY, *le regardant sortir.*

Quelle femme ! On n'en fait plus comme elle... Le moule est cassé.

B I F F, *tout à ses idées.*

Il n'a plus de fixe… et il travaille à la commission. Mon Dieu ! Mon Dieu !

H A P P Y

Tu sais, il vaut mieux regarder les choses en face… Il n'a jamais été un vendeur extraordinaire… Seulement, il faut admettre qu'il a parfois des côtés charmants.

B I F F

Prête-moi dix dollars, tu veux ? Je voudrais acheter des cravates.

H A P P Y

Je connais un magasin formidable. Ils ont un choix de Dieu le Père. Si tu mettais une de mes chemises à rayures demain ?

B I F F, *très ému.*

Elle a des cheveux gris. Elle devient vieille… (*Se reprenant.*) Il n'a qu'à bien se tenir, Olliver, demain. Je te le dis… Je me sens capable de tout.

H A P P Y

Viens, maintenant. Viens dire tout ça à papa. Histoire de lui donner un petit coup de fouet… Viens.

B I F F

Tu te rends compte ? Avec dix mille dollars, mon vieux ?

HAPPY, *comme ils se dirigent vers l'escalier.*

Çà, c'est parler, Biff... C'est la première fois que je retrouve mon vieux Biff ! Mon vieux Biff ! Sûr de lui... (*Les voix s'éloignent.*) Tu vas vivre avec moi, tiens... et toutes les filles que tu voudras, hein !... parce que... tu sais...

LINDA, *entrant dans la chambre à coucher et parlant à Willy qui est toujours dans la salle de bains.*

Est-ce que tu ne pourrais pas arranger cette douche ? Elle fuit.

WILLY, *depuis la salle de bains.*

Tout tombe en morceaux dans cette boîte, alors ? On devrait lui faire un procès, tiens, à ce nom de Dieu de plombier... Quand je pense que je viens à peine de terminer les mensualités, et que ce sale truc... Oh !

LINDA, *un temps, faisant la couverture.*

Je me demande si Olliver le reconnaîtra... Tu crois que oui ?

WILLY, *sortant de la salle de bains, en pyjama.*

S'il le reconnaîtra ? Tu es folle ? Mais s'il était resté chez Olliver, il serait directeur à l'heure qu'il est. Attends voir qu'Olliver se rende compte à qui il a affaire... un seul regard, tiens... Les jeunes gens moyens, de nos jours, les jeunes gens moyens sont à zéro... (*Il se met au lit.*) À zéro. La chance qu'il a eue, lui, c'est de flâner un peu. De ne pas se presser. (*Biff et Happy entrent. Un temps.*) J'ai été heureux d'apprendre tout ça, mon garçon.

HAPPY

Il avait envie de te dire bonsoir, tu vois ?

WILLY, *ému, à Biff.*

Je vois. Fous-lui un grand coup sur la tête, hein ! à Olliver… Tu avais autre chose à me dire ?

BIFF, *à voix basse.*

De ne plus t'en faire, papa. Bonne nuit.

WILLY, *incorrigible.*

Et, si quelque chose tombe de la table pendant que tu lui parles… un paquet de cigarettes, ou un truc quelconque, ne le ramasse pas… Il y a des garçons de bureau pour ça.

LINDA

Je vais lui préparer un de ces petits déjeuners solides !

WILLY

Si tu me laissais finir, hein ? (*À Biff.*) Et dis-lui que, dans l'Ouest, tu étais dans les affaires… pas la peine de parler du travail de ferme.

BIFF, *excédé.*

Parfait, papa.

LINDA

Eh bien ! je crois qu'on a pensé à tout.

WILLY, *la coupant*.

Et ne solde pas tes idées, s'il te plaît... Quinze mille dollars, pas moins.

BIFF, *n'en pouvant plus*.

Bon, bon. Bonne nuit, maman.

WILLY

Il y a une force en toi, Biff. Une grande force. Il faut que tu le saches.

(*Il retombe sur le lit, épuisé. Biff sort.*)

LINDA, *derrière Biff*.

Dors bien, chéri !

HAPPY

Maman, je voulais te dire... j'ai envie de me marier.

LINDA

Va dormir, chéri.

HAPPY, *partant*.

Je voulais te le dire, c'est tout.

WILLY

Que Dieu vous garde ! Bon travail. (*Happy est sorti.*) Mon Dieu ! tu te rappelles le championnat de la ville ? au stade ? Quand son équipe est sortie... Tu te rappelles... il était le plus grand.

LINDA

Oui... il était tout doré.

(*Biff passe dans la cuisine obscure, prend une ciga-
rette et sort de la maison. À l'avant-scène, il s'arrête et
fume, la tête levée.*)

WILLY

Et le soleil autour de lui.. le soleil... Tu te rappelles comme il m'a fait signe ? Les hurlements fusaient
de partout quand il est sorti : « Loman ! Loman !
Loman ! » Dieu tout-puissant... Il réussira très vite, tu
verras... un type comme lui... une étoile de première
grandeur comme lui, ça ne s'éteint pas.

(*La lumière sur Willy descend. Mais derrière le mur
de la cuisine, dans l'ombre, la petite flamme du chauffe-
eau monte et rougeoie.*)

LINDA, *timidement.*

Willy chéri... qu'est-ce qu'il y a contre toi ?

WILLY

Je suis tellement fatigué... ne parle plus... tu
veux ?

(*Biff, lentement, retourne dans la cuisine et, là,
regarde longuement le chauffe-eau.*)

LINDA

Tu n'oublieras pas de demander à Howard de te
donner un travail sur New York ?

WILLY

Demain matin. Première heure. J'arrange tout.

(*Biff passe la main derrière le radiateur et en retire le tuyau de caoutchouc. Horrifié, il lève la tête vers la chambre de Willy. Mais le silence retombe. Biff alors enroule le tuyau autour de sa main et, comme un souffle, passe dans l'escalier.*)

RIDEAU

Acte II

Même lieu. Willy, en manches de chemise, assis à la table de la cuisine, boit à petits coups le café du matin.

WILLY

Il est merveilleux ton café… À lui tout seul, c'est un repas.

LINDA

Je te fais des œufs ?

WILLY

Non. Cesse de t'agiter.

LINDA

Tu as une mine reposée, chéri… Je suis ravie !

WILLY, *détendu, heureux.*

J'ai dormi comme une souche ! C'est bien la première fois depuis des mois. Tu te rends compte, un mardi matin, dormir jusqu'à dix heures… Les garçons sont partis de bonne heure, il me semble ?

LINDA

À huit heures, ils étaient sortis tous les deux !

WILLY

Parfait !

LINDA, *un peu sentimentale.*

Ça m'a fait quelque chose de les voir partir ensemble... Biff était méconnaissable. Il avait l'air plein d'espoir. C'est tout juste s'il avait la patience d'attendre son entrevue avec Olliver.

WILLY

Il est en train de changer, celui-là, je te le dis. Il a pris son vrai départ. Il y a des gens, comme ça, qui mettent le temps à prendre leur vrai départ. Comment était-il habillé ?

LINDA

Son costume bleu. Il a une allure, dans ce costume ! Comment pourrait-on lui refuser quelque chose dans ce costume ?

WILLY

Bien sûr... bien sûr ! (*Il se lève, met son veston.*) Tiens ! En rentrant ce soir, j'irai chercher des semences...

LINDA

C'est une idée comme une autre. (*Un rire.*) Malheureusement, nous n'avons jamais de soleil ici. Il ne poussera rien du tout.

WILLY

Patience ! Bientôt, on aura une petite maison à la campagne. Je planterai des légumes, j'élèverai quelques poulets... Tu verras ! le temps de se retourner..

LINDA, *radieuse,*
bien plus parce qu'elle le voit heureux
que parce qu'elle croit à la réussite proche.

Oui, chéri... Le temps de se retourner...

WILLY

Les garçons se marieront... Ils viendront passer le week-end. Peut-être que je bâtirai une petite annexe pour eux... Ce ne serait rien du tout, avec les outils que j'ai... faudrait tout juste un peu de bois de charpente... et un peu de tranquillité d'esprit.

LINDA

Tiens. J'ai réparé la doublure de ton veston.

WILLY

Je pourrais même en bâtir deux, d'annexes. Non ? Pour qu'ils puissent y venir tous ensemble. (*Brusque.*) Il ne t'a pas dit combien il comptait demander à Olliver ?

LINDA

Non... Dix ou quinze mille, je pense. (*Timidement.*) Tu parleras à Howard aujourd'hui ?

WILLY, *important.*

Et comment !... Je lui mettrai le marché dans la main. Je ne veux plus faire de la route, c'est tout.

LINDA

Willy, tu devrais… demander… une avance… tu sais… pour les primes d'assurances. On est déjà dans les prolongations.

WILLY

Ça fait cent… et…

LINDA

Cent huit ! On est un peu à court…

WILLY

On est à court… Comment ça se fait ?

LINDA

Eh bien ! il y a d'abord eu le coup du moteur de la voiture…

WILLY

Studebaker de merde !

LINDA

Il reste un paiement à faire sur le Frigidaire…

WILLY

Le Frigidaire, mais il vient encore d'être en panne…

LINDA

Dis donc, chéri, il est vieux...

WILLY

On aurait mieux fait de prendre une marque connue, du premier coup. Regarde Charley... il a pris un General Electric... Il y a vingt ans de ça... Il tient toujours !

LINDA

Mais, Willy...

WILLY

Tu avais jamais entendu parler d'un frigidaire « Cri du Cœur », toi, avant ? Je voudrais tout de même bien être tout à fait propriétaire d'un truc avant qu'il ne soit en morceaux... Nous, on fait toujours la course à la ferraille. On essaie de la battre d'une longueur... La voiture est payée, mais elle ne tient plus ensemble. Et le frigo bouffe une courroie par semaine. C'est calculé, tout ça, tu vois ? C'est calculé. Le jour où tu as tout payé, le truc te claque dans les mains.

LINDA, *rcboutonnant le veston
au fur et à mesure qu'il le déboutonne.*

Compte qu'en tout deux cents dollars nous tireraient d'affaires, chéri, y compris le dernier terme de l'hypothèque... Après ça, la maison est à nous.

WILLY, *boudeur.*

Après vingt-cinq ans !

119

LINDA, *avec un beau sourire.*

Biff avait neuf ans quand nous l'avons achetée.

WILLY

Eh bien ! ça, c'est pas mal... tenir le coup pendant vingt-cinq ans !...

LINDA

C'est un bail !

WILLY

Quand je pense à tout le ciment, tout le bois, tout le travail que j'y ai mis dans cette maison. Il n'y a pas une crevasse à y trouver, de la cave au grenier.

LINDA

On en a eu ce qu'on en attendait, tout de même ?

WILLY

C'est à voir ! Un de ces quatre matins, des étrangers pousseront notre porte et on ne parlera plus de nous. Si seulement Biff s'y installait pour y fonder un foyer. (*Brusque.*) Au revoir... je suis en retard.

LINDA

Oh !... et moi qui oubliais ! Ils t'attendent pour dîner.

WILLY

Moi ?

LINDA

Restaurant Frank, 48ᵉ Rue, près de la 6ᵉ Avenue.

WILLY, *radieux*.

Non ? C'est vrai ? Et toi ?

LINDA

Non, non, non ! Vous trois... seulement vous trois... Vous ferez un dîner du tonnerre...

WILLY

Çà alors... qui a pensé à ça ?

LINDA

Biff est venu me trouver ce matin et m'a dit : « Tu diras à papa qu'on lui paiera un dîner du tonnerre. » À six heures, tes deux garçons et toi.

WILLY

Tu parles d'une bonne nouvelle... Il n'a qu'à bien se tenir, Howard. Je te le dis. Je lui demande une avance, je me fais nommer à New York. Il n'a qu'à bien se tenir, je me sens capable de tout.

LINDA

Çà, c'est parler, Willy !

WILLY

Plus jamais je ne me laisserai distancer, plus jamais !

LINDA, *très près de lui.*

Les choses s'arrangent, n'est-ce pas, Willy ? On le sent, non ?

WILLY

Comme si on y était. Au revoir. Je suis en retard. (*Mouvement.*)

LINDA, *derrière lui avec un mouchoir.*

Tu as tes lunettes ?

WILLY, *se tâtant.*

Oui, oui, je les ai, là.

LINDA

Tes gouttes ?

WILLY

Mes gouttes, là…

LINDA

Tiens, un mouchoir.

WILLY

Mouchoir, parfait.

LINDA

Fais attention en conduisant, chéri !
(*Elle l'embrasse, un bas de soie dans la main. Un bas de soie que Willy remarque.*)

WILLY

Quand cesseras-tu de réparer éternellement des bas de soie... du moins quand je suis là ?... Ça m'énerve... si tu savais... je t'en prie... (*Linda froisse le bas dans sa main, tout en suivant Willy dans le jardin.*)

LINDA

N'oublie pas... Restaurant Frank.

WILLY, *dans le jardin*.

Tu crois que ça pousserait des betteraves, ici ?

LINDA, *riant*.

Depuis le temps que tu essaies...

WILLY, *soupirant*.

Oui. Repose-toi, hein... Ne travaille pas toute la journée... Promis ? (*Il est parti.*)

LINDA

Sois prudent ! (*Un dernier signe de la main. Puis la sonnerie du téléphone : Linda y court.*) Allô ? Oh ! Biff ! Je suis contente de t'entendre... Je viens de lui dire, oui, à l'instant, je viens de lui dire. Oui, oui. Il sera là pour dîner... à six heures. Tu vois, je n'ai pas oublié. Écoute... j'étais impatiente de te dire. Tu sais, le tuyau de caoutchouc dont je t'avais parlé ? Le tuyau de caoutchouc du chauffe-eau ? Figure-toi que, ce matin, je me décide à le faire disparaître... Eh bien ! il était parti. Tu te rends compte ? Parti. Il l'a enlevé lui-même. Il n'y est plus. (*Un temps.*) Quand ça ? Oh ! C'est toi qui l'a pris. Oh ! Bien. J'avais cru qu'il l'avait enlevé lui-même. Mais non, chéri, je ne m'en fais pas. Il est parti de tellement bonne humeur, ce matin… comme avant, tu sais, exactement comme avant. Non, je n'ai plus peur du tout. Tu as vu M. Olliver. Ah ! Très bien… Tu l'attends là, alors ? Et tâche de lui faire une bonne impression, chéri… Oui ? Et ne t'énerve pas en l'attendant. Et amuse-toi bien avec papa. Il aura peut-être de bonnes nouvelles, lui aussi… Oui, oui. Un emploi à New York. Sois gentil avec lui, ce soir… Sois tendre avec lui. Si tu savais… (*Elle tremble presque, partagée entre le chagrin et l'espoir.*) Oh ! oui ! Biff ! Merveilleux… Merci, chéri. Ton bras sur ses épaules, au restaurant… c'est ça… et un bon sourire. Oui, mon petit. Au revoir, mon petit. Tu as ton peigne. Parfait. Au revoir, mon chéri.

(*Pendant qu'elle parle, Howard Wagner, trente-six ans, paraît en scène. Il pousse devant lui une petite table roulante, supportant une machine à enregistrer. Il y met le contact. Ceci se passe à l'avant-scène gauche. La lumière monte sur Howard au fur et à mesure qu'elle baisse sur Linda. Howard, affairé devant sa machine, n'a qu'un regard vague, par-dessus l'épaule, vers Willy, lorsque ce dernier se dirige vers lui.*)

WILLY

Hem…

HOWARD

Bonjour, Willy… entrez.

WILLY

Je voudrais vous parler, Howard…

HOWARD, *toujours affairé*.

Je vous fais attendre une minute… hein… Désolé.

WILLY

Qu'est-ce que vous avez là ?

HOWARD

Jamais vu ça ? Un enregistreur sur fil…

WILLY

Oh ! Je pourrais vous parler un moment ?

HOWARD

Pour enregistrer des trucs, vous savez. Je l'ai depuis hier… C'est la machine la plus excitante que j'aie jamais eue. Elle m'a fait passer une nuit blanche.

WILLY

Qu'est-ce que vous allez en faire ?

HOWARD

Je l'ai achetée pour le courrier, mais on peut en faire des tas de choses… Écoutez… je l'avais à la maison hier soir. Écoutez ce que j'ai enregistré. Il y a d'abord ma fille. (*Il met l'appareil en marche. On entend un air que quelqu'un siffle.*) Vous l'entendez siffler ? Gamine.

WILLY

Naturel, hein ?

HOWARD

Elle n'a que sept ans... Vous vous rendez compte, l'oreille qu'elle a !

WILLY

C'est formidable... J'aurais voulu vous deman-der... (*Les sifflotements s'arrêtent. Voix de la petite fille : « Toi, maintenant, papa. »*)

HOWARD

Elle m'adore, cette gosse. (*On entend la même chanson sifflée.*) Ça, c'est moi. (*Clin d'œil.*)

WILLY

Vous sifflez drôlement bien... (*Nouvel arrêt de la chanson. Un temps.*)

HOWARD

Chut !... Écoutez ça... mon fils...

LE FILS

La capitale de l'Alabama est Montgomery, la capi-tale de l'Arizona est Phoenix, la capitale de l'Arkansas est Little Rock, la capitale de la Californie est Sacramento, etc.

HOWARD, *cinq doigt levés.*

Cinq ans !

WILLY

Il finira speaker, pour sûr…

LE FILS, *continuant.*

La capitale…

HOWARD

Et dans l'ordre alphabétique, hein… (*Arrêt brusque.*) Ah ! oui ! c'est la bonne. Elle s'était emberlificotée dans le fil !

WILLY

Eh bien ! ma parole, c'est un appareil tout à fait…

HOWARD

Taisez-vous, pour l'amour de Dieu !

LE FILS

Il est neuf heures, à la montre Omega, et moi, je vais me coucher.

WILLY

Tout à fait…

HOWARD

Une seconde… ma femme maintenant… (*Un temps.*)

VOIX DE HOWARD

Vas-y... Dis quelque chose... N'importe quoi.

VOIX DE FEMME

Je ne trouve rien à dire.

VOIX DE HOWARD

Mais dis n'importe quoi... Ça tourne...

VOIX DE FEMME, *soumise.*

Bonjour, tout le monde. (*Silence.*) Oh ! Howard, je ne peux pas parler devant ce machin...

HOWARD, *coupant le contact.*

C'était ma femme.

WILLY

Elle est merveilleuse, cette machine... (*Comme un enfant.*) Est-ce que nous pourrions...

HOWARD

Vous savez qu'après ça on peut m'enlever ma camera, ma scie musicale et toutes les babioles qui m'amusaient, hein... C'est ce que je connais de plus passionnant.

WILLY

Oui... je crois bien que je vais m'en acheter une aussi, tiens...

HOWARD

Cent cinquante dollars... On aurait tort de s'en passer... Par exemple, vous avez envie d'entendre un programme de radio... seulement vous êtes occupé à cette heure-là... Eh bien ! la bonne ouvre la radio, elle fait tourner le machin, là... et le tour est joué.

WILLY

Et quand on rentre chez soi...

HOWARD

Quand on rentre chez soi, qu'il soit minuit, une heure du matin ou même plus tard, on s'assied bien tranquillement avec son Coca-Cola, on met la machine en marche et voilà : on a son petit programme préféré au milieu de la nuit.

WILLY

Il faudrait vraiment que j'en achète une... Ça m'arrive tellement souvent d'être en route et de penser à tout ce que je rate à la radio pendant ce temps-là...

HOWARD

Vous n'avez pas de poste dans la voiture ?

WILLY, *l'œil rond.*

Si, bien sûr.. mais on n'y pense pas toujours.

HOWARD

Mais dites donc, vous... je vous croyais à Boston ?

WILLY

Justement, je voulais vous en parler, Howard. Vous avez un moment ? (*Il prend une chaise en coulisses et s'assied.*)

HOWARD

Qu'est-ce qui vous arrive ? Qu'est-ce que vous faites là ?

WILLY

Eh bien !...

HOWARD

Vous n'avez pas eu un autre accident de voiture, non ?

WILLY

Mais non !

HOWARD

Vous m'avez fait peur, tiens, pendant une minute... Alors, qu'est-ce qui ne va pas ?

WILLY

Eh bien !... pour tout vous dire, Howard... j'ai pris la décision de ne plus voyager.

HOWARD

De ne plus voyager ? Mais qu'est-ce que vous ferez, alors ?

WILLY

Vous vous souvenez, à Noël, quand vous avez organisé la petite réception, ici ?

HOWARD

Ici ?

WILLY

Oui, ici.

HOWARD

Ah ! oui ! Je me rappelle… Seulement, voilà, je n'ai rien trouvé.

WILLY

Il faut que je vous dise, Howard… mes garçons sont grand à présent. Je n'ai plus besoin de grand-chose… Si je ramène soixante-cinq dollars à la maison, par semaine… je m'en sors très bien.

HOWARD

D'accord, Willy, mais…

WILLY

Et, pour être tout à fait franc, hein, entre nous… je me sens un peu fatigué.

HOWARD

C'est possible, Willy… C'est même compréhensible… mais vous êtes un spécialiste de la province. Nous vivons sur la province. Si nous avons six représentants à New York, c'est le bout du monde…

WILLY

Dieu sait que je n'ai jamais rien demandé à personne, Howard… mais j'étais déjà dans la maison, quand vous arriviez sur les bras de votre père…

HOWARD, *qui a entendu cette histoire mille fois.*
Je sais tout ça, Willy…

WILLY

Même que, le jour de votre naissance, votre père est venu me trouver pour me demander ce que je pensais du prénom Howard… Dieu ait son âme !

HOWARD

Je suis très sensible à tout ce que vous me dites là, Willy… Malheureusement, je n'ai pas de boulot sur New York. J'en aurais un, je vous le donnerais tout de suite, mais je n'en ai pas… pas du tout. (*Il cherche son briquet. Willy le voit sur la table, le prend, lui donne. Un temps.*)

WILLY, *le ton monte.*

Howard ! Tout ce qu'il me faut pour vivre, moi, c'est 50 dollars par semaine…

HOWARD

Mais, mon vieux, soyez raisonnable !

WILLY

Vous ne mettez pas en doute mes capacités de vendeur tout de même…

HOWARD

Je suis dans les affaires, mon vieux… Je demande à chacun d'apporter sa contribution au travail que je fais.

132

WILLY, *désespéré.*

J'aimerais tout de même vous raconter une petite histoire…

HOWARD

Les affaires sont les affaires, Willy…

WILLY, *coléreux.*

Les affaires sont les affaires, d'accord… Mais je vous serais reconnaissant de m'écouter une minute. Vous ne savez pas ce qui se passe. Quand j'étais jeune… dix-huit ans… dix-neuf peut-être… je faisais déjà la province. Et je me demandais si j'allais continuer ce métier-là, j'avais une envie folle d'aller en Alaska. Il faut vous dire qu'on voyait jusqu'à trois ruées vers l'or par mois… et moi, j'avais envie d'y aller à mon tour… par jeu, presque par curiosité.

HOWARD, *à peine poli.*

Vraiment ?

WILLY

C'est comme ça. Mon père a passé des années en Alaska. C'était un homme aventureux… et, dans la famille, on n'avait pas froid aux yeux… Ce qui fait que je m'étais dit que j'irais peut-être bien avec mon frère aîné… pour essayer de retrouver le père et nous installer avec lui… Je m'étais presque décidé, quand j'ai fait la connaissance d'un voyageur de commerce, dans un hôtel. Il s'appelait David Singleman. Il avait quatre-vingt-quatre ans et il avait traîné ses marchandises dans trente et un États. Il montait dans sa chambre le vieux Dave, je me rappelle très bien... Il mettait de vieilles pantoufles de velours vert... Il décrochait le téléphone et, sans quitter sa chambre, rien qu'en appelant ses clients, il gagnait sa vie. Quand j'ai vu ça, j'ai compris que le métier de voyageur de commerce, c'était le plus beau métier qu'un homme puisse imaginer... Parce qu'enfin où pourrait-on trouver un métier où un homme de quatre-vingt-quatre ans connaît dans vingt ou trente villes différentes des tas de gens qui l'aiment, qui l'aident, qui se souviennent de lui. D'ailleurs quand il mourut, le vieux Dave... et il eut vraiment la mort d'un commis voyageur, dans le wagon-fumoir du train de Boston, avec aux pieds ses pantoufles de velours vert... Quand il mourut donc... il y avait des centaines de clients et de collègues à son enterrement. Et, pendant des mois après ça, il a fait mortel dans tous les trains. (*Il se lève, mais Howard, depuis le début, ne le regarde pas.*) Dans le temps, on y mettait de la personnalité, Howard, on y mettait du respect, de la considération, de la camaraderie. De nos jours, tout ça s'est desséché. Il n'y a plus la moindre amitié à trouver nulle part. Comprenez-vous ce que je veux dire, au moins ? Plus personne ne me montre plus d'amitié dans la clientèle. On dirait que plus personne ne me connaît.

HOWARD, *un mouvement*
comme pour sortir à gauche.

Justement... C'est bien l'ennui.

WILLY, *pressant.*

J'aurais 40 dollars par semaine, que je m'en contente-
rais... C'est tout ce qu'il me faut... 40 dollars, Howard !

HOWARD

Mais ça ne se trouve pas dans le pas d'un cheval,
mon vieux...

WILLY

Howard, l'année où Al Smith a eu son avancement, votre père est venu me trouver...

HOWARD

J'ai des tas de gens à voir...

WILLY, *criant.*

Je vous parle de votre père. Et des promesses que
nous avons échangées par-dessus ce même bureau. Ne
me dites pas que vous avez des tas de gens à voir... J'ai
passé trente-quatre ans dans cette maison, Howard, et
voilà que je n'arrive même plus à payer mes primes
d'assurances ? Un homme n'est pas un fruit, tout de
même, dont on mange l'intérieur et dont on jette la
peau... ? (*Un temps.*) Écoutez-moi bien. En 1928,
j'avais eu une très bonne année, j'avais fait quelque
chose comme 180 dollars de moyenne par semaine...

H O W A R D, *impatient.*

Voyons, Willy, vous n'avez jamais fait…

W I L L Y, *hors de lui.*

180 dollars par semaine, en 1928, je vous le dis, moi. Et votre père est venu me trouver ou, plus exactement, c'est moi qui suis venu. Dans ce bureau, tenez ! Dans ce même bureau… et il m'a mis la main sur l'épaule…

H O W A R D, *se levant.*

Vous m'excuserez, mais j'ai vraiment des tas de gens à voir. Calmez-vous, je serai de retour dans une minute. (*Après la sortie de Howard, la lumière monte sur sa chaise vide. Aveuglante. Terrible.*)

W I L L Y, *revenant vers la table.*

Calmez-vous… Pourquoi « calmez-vous » ? Mais je criais, mon Dieu… J'étais en train de crier… Qu'est-ce qui m'a pris, moi ?…

(*Chute brusque. Il s'adresse à la chaise éclairée, comme à un personnage.*)

Frank… Frank… Tu te rappelles, toi, ce que tu m'as dit… quand tu as mis ta main sur mon épaule… hein… Frank..

(*Il s'est penché sur le bureau pour parler à ce fantôme et sa main heurte la machine enregistreuse, la met en marche et immédiatement :*)

VOIX DU FILS DE HOWARD
... de New York est Albany, la capitale de l'Ohio est Cincinnati, la capitale de Rhode Island est...
(*Et la liste continue.*)

WILLY, *dans un mouvement d'effroi.*
Ah ! Howard ! Howard !

HOWARD, *entrée précipitée.*
Qu'est-ce qui arrive ?

WILLY
Arrêtez ça... Arrêtez ça... !

HOWARD, *coupant le contact.*
Écoutez, Willy...

WILLY, *à bout, les mains sur les yeux.*
Du café... Il me faut du café !
(*Willy se dirige vers la sortie, mais Howard l'arrête en lui mettant la main sur le bras.*)

WILLY, *soumis.*
Bon !... J'irai à Boston.

HOWARD
Ce n'est plus la peine, Willy.

WILLY
Pourquoi ?

Ce n'est plus la peine, parce que je ne veux plus que vous voyagiez pour nous... Il y avait longtemps que j'avais envie de vous le dire.

WILLY

Howard... est-ce que vous me mettez à la porte ?

HOWARD

Ce qu'il vous faut, Willy, c'est du repos... beaucoup de repos.

WILLY

Howard !

HOWARD

Et le jour où vous vous sentirez mieux, vous nous reviendrez ; on verra ce qu'on peut faire pour vous.

WILLY

Mais il faut que je gagne ma vie, Howard... Je ne peux pas me permettre de...

HOWARD, *se fâchant maintenant*
et pour la première fois.

Et vos fils, qu'est-ce qu'ils foutent... Ils ne peuvent pas vous aider un peu, non ?

WILLY

Mes fils mettent au point une affaire très importante.

HOWARD

Pas de fierté mal placée, Willy… Allez trouver vos fils, dites-leur que vous êtes fatigué. Vous avez deux grands fils, n'est-ce pas ?

WILLY

Bien sûr, mais en attendant…

HOWARD

C'est arrangé, alors !

WILLY

Très bien. J'irai à Boston, demain.

HOWARD, *dur*.

Non.

WILLY, *presque en larmes*.

Mais je ne peux pas me jeter à la tête de mes fils. Je ne suis pas infirme.

HOWARD

Mon vieux, je suis très occupé, ce matin.

WILLY, *accroché au bras de Howard*.

Howard, il faut me laisser aller à Boston.

HOWARD, *se dominant*.

Des tas de gens à voir ce matin. Asseyez-vous. Remettez-vous pendant cinq minutes et rentrez chez vous… J'ai besoin du bureau, Willy. (*Fausse sortie*, *après un regard, revient chercher la table roulante et l'enregistreur qu'il emmène.*) Une chose encore... Si vous êtes dans le quartier, cette semaine... passez donc nous remettre la collection d'échantillons... Vous vous sentirez mieux... Nous bavarderons tous les deux... mais remettez-vous... Il y a des gens là, dehors... (*Howard sort, poussant la table vers la gauche. Willy a les yeux perdus dans l'espace. Il donne toutes les marques de l'épuisement. La musique s'élève. Enfin Ben paraît à droite. Il porte sa valise et son parapluie.*)

WILLY, *pitoyable.*

Oh ! Ben... je voudrais tellement savoir comment tu t'y es pris... Je voudrais tellement connaître la réponse. Est-ce que l'affaire de l'Alaska est déjà conclue ?

BEN

Pourquoi perdre son temps quand on sait exactement ce qu'on veut ? Je n'ai fait qu'un petit voyage d'affaires, et mon bateau repart dans une heure. Je suis venu vous dire au revoir.

WILLY

Ben, il faut que je te parle.

BEN, *son regard éternel à sa montre.*

Je n'ai pas le temps, William.

WILLY

Rien ne me réussit, Ben… Je ne sais pas comment m'y prendre.

BEN

Écoute-moi, William… j'ai acheté des coupes de bois en Alaska ; il me faudrait un homme pour les surveiller.

(*La lumière change. Un rayon de soleil vient éclairer la scène.*)

WILLY

Des coupes de bois… La vie de plein air… avec les deux garçons.

BEN

Il y a tout un monde nouveau à ta porte, William… Laisse tomber ces villes pleines de mots, de paiements par mensualités et de procès-verbaux. Serre les poings et pars faire fortune, là-haut.

WILLY

Oui… Oh ! oui… Linda, Linda !
(*Linda entre, rajeunie, beaucoup plus froide.*)

LINDA

Oh ! vous voilà revenu ?

BEN

Je ne fais que passer.

WILLY

Linda, il me propose du travail en Alaska.

LINDA

Mais tu as… (*À Ben.*) Il a une très belle situation ici.

WILLY

Mais, en Alaska, ma petite fille, je pourrais…

LINDA

Tu en fais bien assez comme ça, Willy.

BEN

Assez pour quoi, ma chère ?

LINDA, *butée.*

Assez pour être heureux avec nous, maintenant, ici. Ne lui mettez pas ces choses-là dans la tête… (*Rire de Ben.*) Tout le monde ne peut pas partir à la conquête de l'univers, non ? On t'aime bien ici, les garçons t'adorent, et, un de ces quatre matins, tu entreras dans l'administration de la compagnie… le vieux Wagner te l'a dit, non ? que tu ferais partie du Conseil d'administration si tu continuais comme ça ?

WILLY

Évidemment… j'abats un travail fou dans cette maison, tu sais, Ben ? Je construis quelque chose, je te le dis. Et, quand un homme construit quelque chose, il est dans le bon, tu ne crois pas ?

BEN, *narquois*.

Tu construis quelque chose ? Qu'est-ce que tu construis ? Essaie de mettre la main sur ce que tu construis ? Tu pourrais ?

WILLY, *ébranlé*.

Il a raison, Linda... Qu'est-ce que je construis, c'est du vent !

LINDA

Qu'est-ce que tu racontes ? (*À Ben.*) On connaît un type de quatre-vingt-quatre ans...

WILLY

Ça, c'est vrai, tiens, Ben... Même que, quand je le regarde, cet homme-là, je me demande pourquoi je m'en fais...

BEN

Bah...

WILLY

Je te jure, Ben. Il s'installe dans n'importe quelle ville. Il décroche le téléphone et il fait ses affaires... et il gagne bien sa vie. Tu sais comment ?

BEN, *saisissant sa valise*.

Il faut que je m'en aille, moi.

(*Biff, en sweater de l'école supérieure, paraît, portant une mallette.*)

143

WILLY, *le retenant.*

Regarde le gamin...

(*Happy vient derrière Biff, chargé d'un équipement complet de football, protège-épaules, casque doré et culotte.*)

WILLY

Hier, personne ne le connaissait. Il n'a pas la moindre fortune. N'empêche que trois universités sont à ses genoux, à le supplier. Et c'est même ça que je trouve merveilleux dans ce pays... Un homme peut très bien finir riche comme tout, rien que parce qu'il est sympathique, parce qu'on l'aime... (*Ben cherche toujours à s'éloigner.*) Essaie de comprendre, Ben... Je t'assure, je l'ai constaté moi-même... des tas de fois... Ce n'est pas une chose qu'on peut toucher du doigt comme une pièce de bois... mais c'est un fait.

BEN

Adieu, William.

WILLY

J'ai raison, hein, Ben ? Dis-moi que j'ai raison... J'ai besoin de ton avis.

BEN

Il y a tout un monde nouveau à ta porte, William. Un monde d'où l'on sort riche. Riche.

(*Il est sorti. Bernard entre en courant.*)

BERNARD

Oh... j'ai eu peur... J'ai cru que vous étiez déjà partis.

WILLY

Quoi ? Quelle heure est-il ?

BERNARD

Une heure et demie.

WILLY

En route, mauvaise troupe... Prochain arrêt, le stade. Les fanions. Où sont les fanions ? (*Il traverse le décor en ligne droite et disparaît dans le living.*)

LINDA, *à Biff.*

Tu as pris du linge de rechange ?

BIFF

Si on partait ?

BERNARD

Je porte ton casque, hein, Biff ?

HAPPY

Non, moi, je le porte.

BERNARD

Biff, tu m'avais promis...

HAPPY

Moi, je le porte.

BERNARD

Mais comment veux-tu que j'entre au vestiaire, si je n'ai rien à porter ?

LINDA

Donne-lui les protège-épaules.
(*Elle met son chapeau et son manteau dans la cuisine.*)

BIFF, *superbe.*

Donne-les-lui, va...

HAPPY

Ne nous perds pas surtout.
(*Willy entre vite, avec les fanions.*)

WILLY

Vous les agiterez tous dès que Biff entrera sur le terrain. (*Happy et Bernard sortent.*) Tu te sens bien mon garçon ?

(*Fin de la musique.*)

BIFF

De première, papa.

WILLY

En route ! (*Mouvement de sortie. Entre Charley rajeuni, en pantalon de golf.*) Je n'ai pas de place pour toi, Charley.

CHARLEY

De la place ? Pour quoi faire ?

WILLY

Dans la voiture.

CHARLEY

Vous allez faire un tour… Je voulais te proposer
un petit rami ?

WILLY, *dépassé.*

Un petit rami… Est-ce que tu sais quel jour nous
sommes ?

LINDA

Bien sûr qu'il le sait, Willy… Il te fait marcher,
voilà tout.

WILLY

C'est drôle… C'est d'un drôle !

CHARLEY

Linda, qu'est-ce qui arrive ?

LINDA

Biff joue au stade !

CHARLEY

Au football ? Je croyais que la saison était
finie…

WILLY

Qu'il aille se faire foutre… Venez tous…
     (*Il pousse tout son monde vers la sortie.*)

CHARLEY

Vous n'avez pas entendu la nouvelle ?

WILLY

Quelle nouvelle ?

CHARLEY

À la radio. Le stade vient de sauter...

WILLY

Va te faire foutre... (*Rire de Charley.*) Allons, vite... On est en retard !

CHARLEY, *derrière eux.*

Et ne te laisse pas faire, hein, Biff...

WILLY

Je ne te trouve pas drôle, Charley... C'est le plus beau jour de sa vie.

CHARLEY

Willy, tu ne seras donc jamais sérieux ?

WILLY

Ah, vraiment ? Eh bien, à partir de demain, tu riras beaucoup moins... parce que Biff fera une carrière de champion.. Et qu'il se tapera vingt-cinq mille dollars par an à ton nez, à ta barbe...

CHARLEY

Pas possible !

WILLY, *protecteur.*

Comme je te le dis.

CHARLEY

Je te demande pardon, Willy... Je te demande pardon. Une dernière question, veux-tu ? Qu'est-ce que mon nez et ma barbe viennent faire là-dedans ?

WILLY

Je vais te casser la figure, pauvre idiot... Je vais te casser la figure... (*Charley lui échappe et sort, Willy suit, toujours criant.*) Pour qui te prends-tu, hein ? Tu te crois sorti de la cuisse de Jupiter, sans blague ? Idiot, tu es idiot... Et je te casse ta sale gueule d'idiot, moi, je te le dis. (*La lumière se centre à droite de la scène. Petite table de réception dans le bureau de Charley. Bruits de rue. Bernard (adulte) est assis. À côté de lui, posés par terre, un sac de voyage et deux raquettes de tennis.*)

VOIX DE WILLY, *à la cantonade.*

C'est ça... sauve-toi... sauve-toi... lapin... trouillard ! Tu n'as même pas le courage de me dire en face ce que tu as à me dire... hein ? Tu les dis dans le dos des gens, hein, tes bons mots... Tu crois que je ne le sais pas ? Tu riras beaucoup moins, je te le dis, après ce match... Goal !... Goal ! Quatre-vingt mille personnes... Goal ! Goal !...

(*Bernard, entendant cette voix, ôte ses pieds de la table et écoute. Jenny, secrétaire de Charley, entre.*)

149

JENNY

Bernard… ça vous dérangerait d'aller dans le hall ?

BERNARD

Qu'est-ce que c'est que ce chahut ?

JENNY

C'est M. Loman… Il vient de sortir de l'ascenseur.

BERNARD

Avec qui se dispute-t-il ?

JENNY

Avec personne. Il est seul. Moi, j'en ai marre, hein, de ses discussions ! Et votre père en est malade, chaque fois qu'il vient ici… J'ai du courrier pressé à taper. Et votre père attend la signature. Vous voulez bien le recevoir ?

WILLY, *entrant.*

Goal… Goal… Bonjour, Jenny. Plaisir de vous voir… Ça va ? On travaille ou on s'en fout ?

JENNY

Ça va. Et vous ?

WILLY

Pour la bagatelle… une fois sur deux…
(*Petit rire qui s'éteint parce qu'il voit les raquettes.*)

BERNARD

Bonjour, oncle Willy.

WILLY, *surpris.*

Bernard ? Qui voilà ! Je ne t'avais pas vu…
(*Poignée de mains.*)

BERNARD, *très clair, très sympathique.*

Comment allez-vous ? Je suis content de vous voir…

WILLY

Qu'est-ce que tu fais là ?

BERNARD

Je passais. Je suis entré dire bonjour à papa. Histoire de me dégourdir les jambes avant le départ de
mon train. Je pars pour Washington dans quelques
minutes.

WILLY

Ton père est là ?

BERNARD

Oui. Il est dans son bureau avec le comptable.
Asseyez-vous.

WILLY, *qui s'assied.*

Qu'est-ce que tu vas faire à Washington ?

BERNARD

Une affaire à plaider…

WILLY, *geste vers les raquettes.*

Tiens, tiens… Et tu vas jouer au tennis ?

BERNARD

Je loge chez des amis qui ont un court.

WILLY

Non ? Un court… à eux ? Des gens bien, je parie.

BERNARD

Oui, très bien. (*Prudent.*) Papa m'a dit que Biff était en ville.

WILLY, *large sourire.*

Oui… il est revenu… Il prépare une affaire formidable, Bernard.

BERNARD

Il se débrouille ?

WILLY

Il se débrouillait drôlement bien dans l'Ouest… mais il a décidé de s'installer ici… oui… une affaire formidable… Je dîne avec lui, tout à l'heure… Et toi ? Marié et père de famille ! C'est vrai, ça ?

BERNARD

Eh ! oui… deux garçons…

WILLY

Deux garçons… eh bien !…

BERNARD

Qu'est-ce que c'est l'affaire que Biff prépare ?…

WILLY

Tu connais Bill Olliver ?... Le type des articles de sport. Type de premier ordre... Il a besoin de Biff. Il l'a rappelé depuis le fin fond de l'Ouest... Téléphone inter... et carte blanche, et lettres express, tout le truc, quoi ! Alors, comme ça, tes copains ont leur court à eux, hein...

BERNARD

Et vous, Willy. Toujours le même boulot ?

WILLY, *après un temps.*

Je suis tellement heureux de voir que tu réussis, Bernard... Tellement heureux... C'est encourageant de voir un jeune homme qui en sort... qui en sort... comme toi... Pour Biff aussi... tout est... bien parti... (*Brusque chute.*) Bernard... (*Étranglé d'émotion.*)

BERNARD

Qu'est-ce qui se passe, Willy ?

WILLY, *très seul brusquement.*

Dis-moi le secret.

BERNARD

Quel secret ?

WILLY

Comment as-tu fait ? Pourquoi n'y est-il jamais parvenu, lui ?

BERNARD

Mais, Willy, je ne vois pas…

WILLY, *une confidence désespérée.*

Tu étais son ami, toi… son ami d'enfance… Eh
bien ! il y a des choses que je ne comprends pas, tu
vois. On dirait que sa vie s'est arrêtée après le match
de fin d'année. Et depuis… depuis qu'il a eu dix-
sept ans, il ne lui est plus jamais rien arrivé de
bon…

BERNARD

Il ne s'est pas donné de mal ?

WILLY

Oh, si ! si ! Après l'école supérieure, qu'est-ce
qu'il a pris comme cours par correspondance !…
Radio-Électricité… Télévision… est-ce que je sais
encore ?… Et jamais le moindre succès…

BERNARD

Willy ! Vous avez vraiment envie d'en parler ?
D'en parler franchement ?

WILLY, *se levant, face à Bernard.*

Je sais que tu es quelqu'un de très brillant, Bernard… Je tiens beaucoup à ton avis…

BERNARD

Oh !… mon avis, Willy… Qu'est-ce que vous
racontez ?… Je n'ai pas d'avis. Mais j'ai toujours

voulu vous demander quelque chose... Quand il a présenté le certificat de fin d'année et que le professeur de maths l'a collé...

WILLY, *presque stupidement.*

C'est ce fils de putain-là qui l'a foutu par terre, tiens...

BERNARD

D'accord... mais il n'avait qu'à suivre les cours d'une école d'été et se représenter.

WILLY

Ça oui... bien sûr...

BERNARD

Vous lui avez déconseillé, vous, de se représenter ?

WILLY

Moi ? Je l'ai supplié... je l'ai menacé de tout.. pour qu'il se représente !

BERNARD

Alors pourquoi ne l'a-t-il pas fait ?

WILLY

Pourquoi ? Pourquoi ?... Bernard, voilà quinze ans que je me la pose, cette question. Il a raté l'examen, et il est resté sans réactions, comme s'il avait été assommé.

BERNARD

Calmez-vous.

WILLY

Il faut que je te parle… Je n'ai personne à qui parler, moi, tu vois… Bernard, est-ce que c'était de ma faute ? Je ne peux pas m'empêcher de retourner ça dans ma tête : est-ce que j'ai fait quelque chose qui l'a heurté… blessé ?

BERNARD

Il ne faut pas vous frapper comme ça, mon vieux.

WILLY

Pourquoi est-il resté là, sans réagir ? Qu'est-ce qu'il y a eu là-dessous ? Tu étais son ami, non ?

BERNARD, *décidé à tout lui dire.*

Willy, je me rappelle… On était en juin… On a affiché les résultats. Il avait raté les maths.

WILLY

Ce fils de putain…

BERNARD

Ce n'est pas à ce moment-là qu'il s'est passé quelque chose en Biff. Bien sûr, il s'est fâché tout rouge, mais il était décidé à suivre les cours de vacances.

WILLY, *surpris.*

Il était décidé…

BERNARD

Oui. Il n'était pas à plat du tout. Seulement, alors, il a disparu pendant un mois. On ne l'a plus vu dans le quartier. Même que j'avais l'impression qu'il avait fait le voyage du New England pour vous voir. Vous l'avez vu, à ce moment-là ? Il vous a parlé ?

(*Willy reste silencieux, les yeux fixes.*)

BERNARD

Willy ?

WILLY, *se réveillant.*

Oui... il est venu à Boston, et alors ?

BERNARD

Alors, quand il est revenu... justement quand il est revenu... Je n'ai jamais oublié ça, parce que ça m'a toujours laissé rêveur... Moi, j'étais plein d'admiration pour Biff même quand il me marchait sur la tête. Plein d'admiration et d'amitié aussi... Parce que je l'aimais, moi, vous savez ça, hein, Willy. Eh bien ! quand il est revenu... après un mois, il a pris son sweater de sport... Dieu s'il y tenait, hein... il le portait tout le temps... Il l'a pris, son sweater, et il est descendu à la cave, et il l'a brûlé dans la chaudière. Même que nous nous sommes battus à coups de poings. Pendant une demi-heure au moins... Nous deux, dans la cave, à se taper dessus comme des sourds, en hurlant et en pleurant. Et j'ai su à ce moment-là qu'il foutait sa vie en l'air. C'est bizarre, je n'ai jamais pu expliquer pourquoi, mais je l'ai su... à ce moment-là. Qu'est-ce qui s'est passé à Boston, Willy ? (*Willy le regarde avec fureur.*) Moi, hein, je vous en parle parce que vous me l'avez demandé...

WILLY, *coléreux.*

Rien ne s'est passé. Qu'est-ce que tu veux dire avec ton : « Qu'est-ce qui s'est passé ? » Qu'est-ce que ça vient faire là-dedans ?

BERNARD

Ce n'est pas la peine de vous fâcher !

WILLY, *idem.*

Qu'est-ce que tu essaies de faire ? De rejeter la faute sur moi ? Un gamin se laisse couler à pic ; et c'est ma faute, sans doute ?

BERNARD

Mais, Willy, il y a toujours une raison, quand on coule à pic...

WILLY

Qu'est-ce que ça signifie ce genre ? Qu'est-ce que ça signifie ton : « Qu'est-ce qui s'est passé ? »
(*Charley entre, il porte une bouteille de whisky.*)

CHARLEY

Toi, tu vas rater ton train, je te le dis...

BERNARD

Très bien, je m'en vais. (*Prenant la bouteille que lui tend son père.*) Merci, papa... (*Rassemblant ses bagages.*)

Au revoir, Willy… et cessez de vous faire du mauvais sang. Vous savez, Rome ne s'est pas faite en un jour…

WILLY
Oui, c'est bien mon avis.

BERNARD
Seulement, Willy… quelquefois, pour un homme, il vaut mieux s'en aller…

WILLY
S'en aller ?

BERNARD
Oui.

WILLY
Et s'il n'y a pas moyen ?

BERNARD, *après un petit temps*.
Alors, bien sûr, c'est beaucoup plus dur… (*Tendant sa main.*) Au revoir, Willy.

WILLY, *shake-hand*.
Au revoir, fiston.

CHARLEY, *un bras sur les épaules de son fils*.
Qu'est-ce que tu dis, hein ? Monsieur s'en va plaider devant la Cour Suprême… tu réalises ?

BERNARD, *protestant*.
Papa !

WILLY, *heureux et envieux à la fois.*

La Cour Suprême...

BERNARD

Il faut que je me grouille, moi. Au revoir, papa.

CHARLEY

Montre-leur qui nous sommes, hein, fils ?

(*Exit Bernard.*)

WILLY, *pendant que Charley
sort son portefeuille.*

La Cour Suprême... et il n'en parlait même
pas...

CHARLEY, *comptant son argent sur le bureau.*

Il vaut mieux agir que parler, non ?

WILLY

Quand je pense que tu ne lui as jamais donné de
conseils, que tu ne t'es jamais intéressé à lui...

CHARLEY

Mon cher, ce qui m'a sauvé dans la vie, c'est de ne
m'être jamais intéressé à rien. Voilà un peu d'argent.
Cinquante dollars. J'ai mon comptable, là, qui
m'attend.

WILLY, *avec peine.*

Dis donc, Charley... J'ai l'assurance à payer... Si
tu pouvais.. Il me faudrait cent dix dollars...

(Charley, un moment, reste sans répondre. Il ne bouge pas, aucun geste.) Remarque… je les prendrais bien à la banque, mais Linda serait capable de s'en apercevoir…

CHARLEY, *doucement*.

Assieds-toi, Willy.

WILLY

Je tiens un compte détaillé de tout, tu sais. Je te rendrai tout ça jusqu'au dernier centime.

(Il s'assied.)

CHARLEY

Je voudrais que tu m'écoutes, Willy…

WILLY

Tu sais combien je te suis reconnaissant…

CHARLEY, *comme à un enfant*.

Willy… Qu'est-ce que tu fous ? Qu'est-ce que tu as dans la tête ?

WILLY

Quoi ? Mais je…

CHARLEY

Je t'ai offert une situation. Tu pourrais te faire 50 dollars par semaine… Et moi, je ne t'enverrais pas en province.

WILLY

J'ai une situation.

CHARLEY

Sans traitement ? C'est une situation, ça ? Une situation, qui ne *rapporte* rien ? (*Levé.*) Assez rigolé, mon vieux. Trop, c'est trop... Je ne suis pas un génie, mais je sais très bien quand on se paie ma tête !

WILLY

Moi, je me paie ta tête ?

CHARLEY, *brusque.*

Pourquoi ne veux-tu pas travailler pour moi ?

WILLY

Mais qu'est-ce qui te prend ? J'ai du travail.

CHARLEY

Alors pourquoi viens-tu ici chaque semaine ?

WILLY, *levé à son tour.*

Si tu ne veux plus que je vienne... tu sais...

CHARLEY

Je t'offre du boulot.

WILLY

Je n'en veux pas.

CHARLEY

Le jour où tu cesseras d'avoir quinze ans, toi...

162

WILLY, *furieux.*

Je te fous une trempe si tu me dis encore ça, tu
entends ? Une trempe... Et je me fous de ta carrure et
de ta force, tu entends ?

(*Il est prêt à se battre. Un temps.*)

CHARLEY

Combien te faut-il, Willy ?

WILLY, *à zéro.*

Charley... Je suis à bout... à bout. Je ne sais plus
à quel saint me vouer. Il m'a foutu dehors.

CHARLEY

Howard t'a foutu dehors ?

WILLY

Ce morveux !... Tu te rends compte... J'ai choisi
son prénom, moi... C'est moi qui l'ai baptisé Howard...

CHARLEY

Mais ça ne signifie rien, tout ça, Willy... Rien du
tout. Tu l'as baptisé Howard... c'est très bien, mais ça
ne se monnaie pas... La seule chose qui compte en ce
monde, c'est ce qu'on peut vendre, ce qui peut faire
de l'argent... C'est marrant : toi, un voyageur de commerce, tu ne sais pas ça ?

WILLY

Je me suis toujours attaché à penser le contraire,
voilà ! J'ai toujours cru que rien de mal ne pouvait

arriver à un homme, quand il a de l'allure, que tout le monde l'aime…

CHARLEY

Tout le monde t'aime. Et alors ? À quoi ça te sert ? Tu t'imagines qu'on aime les milliardaires ? Tu crois qu'ils ont tous de l'allure ? On les foutrait tous dans un bain turc, il y en a la moitié qui aurait l'air de vendeurs de cochons ; seulement, quand ils sont habillés, avec leurs vêtements et des poches dans leurs vêtements, on les aime… sois tranquille. Écoute-moi, Willy… Je sais bien que tu ne m'aimes pas. Et moi, je ne suis pas amoureux de toi, tout le monde te le dira… Seulement, je t'offre du travail… parce que… (*Les mots ne suivent pas.*) Parce que… voilà tout… Prends-le comme tu voudras. Qu'est-ce que tu en dis ?

WILLY

Je ne peux pas travailler pour toi, Charley.

CHARLEY

Tu es jaloux ? Ou quoi ?

WILLY, *buté, boudeur.*

Je ne veux pas travailler pour toi. C'est tout. Ne me demande pas de raisons.

CHARLEY, *fâché.*

Tu as été jaloux de moi toute ta vie, pauvre imbécile ! Tiens, voilà ton argent. Paie ton assurance.

(*Il met l'argent dans les mains de Willy.*)

WILLY

Je tiens des comptes en règle, tu sais.

CHARLEY

J'ai du travail. Prends soin de toi. Et paie ton assurance.

WILLY, *vers la sortie.*

C'est drôle... non ? On se promène toute sa vie sur toutes sortes de grandes routes, et dans les trains, et d'un rendez-vous à l'autre... et on finit par avoir plus de valeur mort que vivant...

CHARLEY

Une fois mort, on ne vaut plus rien du tout. (*Un temps.*) Tu m'as entendu ? (*Willy est toujours là, rêveur.*) Willy !

WILLY

Fais mes excuses à Bernard quand tu le verras. Je n'avais pas du tout l'intention de me disputer avec lui... Bernard est un type très bien. Ils sont tous des types très bien. Et ils finiront tous très bien. Et, un jour, ils joueront au tennis tous ensemble... Souhaite-moi bonne chance, Charley... Il voit Olliver aujourd'hui..

CHARLEY

Bonne chance !

WILLY, *au bord des larmes.*

Charley, tu es le seul ami que j'aie jamais eu... C'est merveilleux, non ?

(*Il sort.*)

CHARLEY, *tristement.*

Nom de Dieu !

(*Charley le regarde sortir, puis sort à son tour. Noir soudain. Musique. Une lumière rougeâtre à droite. Stanley, un jeune garçon de café, apparaît portant une table. Happy le suit, portant deux chaises.*)

STANLEY, *déposant la table.*

Je vous remercie, monsieur Loman. Je peux très bien faire ça tout seul...

(*Il prend les chaises que Happy a déposées et les installe près de la table.*)

HAPPY, *regard circulaire.*

Naturellement ! Ici, on est beaucoup mieux.

STANLEY

Devant, on est au milieu d'un chahut terrible ! Quand vous attendez quelqu'un, monsieur Loman, dites-le-moi, je vous installe ici. Remarquez ! Il y a des gens qui n'aiment pas du tout la tranquillité... et, quand ils mettent le nez dehors, c'est pour voir un tas de dérangements et d'agitation, tout ça parce qu'ils sont malades de rester enfermés chez eux. Vous, je

vous connais… vous n'avez rien d'un provincial…
vous comprenez ce que je veux dire…

HAPPY
Quelles sont les nouvelles, Stanley ?

STANLEY
Une vie de chien, monsieur Loman… Si encore ils
m'avaient pris pendant la guerre à l'armée… je serais
peut-être mort à l'heure qu'il est.

HAPPY, *que cela n'intéresse pas du tout.*
Mon frère est revenu, Stanley.

STANLEY
Ah oui ? Du fin fond de l'Ouest, là.

HAPPY
Oui. C'est un gros éleveur, mon frère, hein…
soignez-le. J'attends mon père aussi…

STANLEY
Oh… Monsieur votre père aussi…

HAPPY
Vous avez deux beaux homards ?

STANLEY
Oui ! Et ils sont costauds, je vous le dis.

HAPPY
Et je veux les pinces avec, hein…

STANLEY

Dormez sur vos deux oreilles… c'est des homards, pas des crevettes. Vous voulez du vin ? Ça donnera de l'allure à votre repas.

HAPPY

Non… Tu te rappelles, Stanley, la recette que j'ai ramenée d'Europe ? La recette au champagne ?

STANLEY

Et comment… Même que je l'ai épinglée au mur dans la cuisine. Seulement ça, c'est un coup d'un dollar par personne.

HAPPY

C'est parfait.

STANLEY, *admiratif.*

Vous avez gagné le gros lot, pas possible ?

HAPPY

Non… C'est pour fêter une bonne nouvelle… Mon frère a réussi… enfin, je pense qu'il a réussi une grosse affaire aujourd'hui… Nous allons nous associer tous les deux.

STANLEY

C'est toujours épatant, ça ! parce que, vous savez, les affaires de famille hein… c'est toujours épatant.

HAPPY

Exactement mon avis.

STANLEY

Parce que... je vais vous dire... Quelqu'un fout le camp avec la caisse ? Ça reste toujours dans la famille. Vous voyez ce que je veux dire ? (*Sotto-voce.*) Le barman, ici, par exemple... Eh bien ! il est occupé à rendre le patron tout à fait dingo. Il y a des trous dans la caisse... des trous ! Comme des maisons. On voit bien ce qui entre. Mais jamais ce qui sort...

HAPPY, *le visage levé.*

Chut...

STANLEY

Quoi ?

HAPPY

Tu as remarqué que je n'ai pas tourné la tête, hein, ni à droite, ni à gauche ?

STANLEY

Oui.

HAPPY

Et j'ai les yeux fermés, hein ?

STANLEY

Et alors ?

HAPPY

Il y a de la fille dans l'air…

STANLEY, *regarde autour de lui.*

Mais non… je ne vois… (*Il s'arrête brusquement. Une fille ravissante, fourrure et vêtements recherchés, entre et s'assied à la table voisine. Les deux hommes l'ont suivie des yeux.*) Eh bien ! mon cochon ! Comment l'avez-vous deviné ?

HAPPY

Je dois avoir un radar ou quelque chose de ce genre-là. (*Détaillant la fille.*) Oooh… Stanley !

STANLEY

C'est votre genre, hein, monsieur Loman ?

HAPPY

Vise-moi cette bouche, papillon !… et ces yeux !

STANLEY

Vous ne vous embêtez pas dans la vie, vous, monsieur Loman !

HAPPY

Va voir ce qu'elle veut !

STANLEY, *vers la table de la fille.*

Je vous apporte un menu, madame ?

LA FILLE

J'attends quelqu'un… mais je voudrais… avant…

HAPPY

Apportez donc à Mademoiselle... Excusez-moi, mademoiselle, j'espère que vous ne m'en voudrez pas... mais je représente une marque de champagne et j'aimerais beaucoup avoir votre avis... Voulez-vous le goûter ? Apportez un champagne à Mademoiselle, Stanley.

LA FILLE

C'est trop gentil, vraiment.

HAPPY

Je vous en prie... c'est la compagnie qui paie...

(*Il rit.*)

LA FILLE

Ça doit être charmant de représenter du champagne, non ?

HAPPY

Oh... ça ou autre chose... On s'habitue tout de suite...

LA FILLE

Oui, je suppose...

HAPPY, *égrillard.*

Et vous ? Vous avez quelque chose à vendre ?

LA FILLE

Moi, non !

HAPPY

Vous voulez un avis tout à fait sincère ?... Une fille comme vous, vous devriez être sur les premières pages de magazines.

LA FILLE, *amusée.*

J'y ai déjà été.
(*Stanley revient avec une coupe de champagne.*)

HAPPY

Stanley ! tu vois... j'avais raison. Qu'est-ce que je t'avais dit ? Mademoiselle est modèle...

STANLEY

Je m'en doutais... allez.

HAPPY, *à la fille.*

Quel magazine ?

LA FILLE

Oh ! des tas ! (*Prenant son verre.*) Merci...

HAPPY

Vous savez ce qu'on dit en France, hein ? « Le champagne rend les femmes encore plus belles ! » Si c'est possible. Ah !... Biff... ça va ?
(*Biff est entré et vient s'asseoir près de Happy.*)

BIFF

Bonsoir, vieux, en effet, je suis en retard... je te demande pardon.

HAPPY

Je viens d'arriver ! Alors… euh… Mademoiselle ?

LA FILLE

Forsythe.

HAPPY

Mademoiselle Forsythe, voici mon frère.

BIFF

Papa est là ?

HAPPY

Il s'appelle Biff. Vous avez rarement entendu parler de lui. C'est un joueur de football très connu…

LA FILLE

C'est vrai ? Quelle équipe ?

HAPPY

Ah, ah ! Vous suivez le football ?

LA FILLE

Non, hélas…

HAPPY

Biff est arrière dans l'équipe de New York.

LA FILLE

Comme c'est intéressant !

(*Elle boit.*)

HAPPY

À votre santé.

LA FILLE

Je suis ravie de vous connaître.

HAPPY

Moi, c'est Happy, mon nom. Remarquez, en réalité, je m'appelle Harold, mais, à l'école militaire, tout le monde m'appelait Happy. Ça m'est resté.

LA FILLE, *tout à fait impressionnée.*

À l'école militaire... je vois... Je suis ravie de vous connaître...

(*Elle se détourne un peu.*)

BIFF

Papa ne vient pas ?

HAPPY, *tout à fait lancé.*

Tu la veux, la fille ?

BIFF

Si tu crois que j'ai la tête à ça...

HAPPY

Je me rappelle un temps où tu ne pensais qu'à ça, au contraire. Tu n'as plus confiance en toi ?

BIFF

Je viens de voir Olliver...

HAPPY

Une seconde. Il faut d'abord que je retrouve le vrai Biff... sûr de lui... Tu la veux, cette fille ? C'est une occasion à saisir...

BIFF

Non.

(Il se tourne vers la fille et la regarde.)

HAPPY

Tu vas voir ! (*Vers la fille.*) Dites-moi, belle madame... (*Elle se retourne vers lui.*) Vous êtes prise ce soir ?

LA FILLE

Ben... oui ! Mais je pourrais donner un coup de téléphone.

HAPPY

Donnez, belle madame, donnez... et tâchez de nous pêcher une de vos amies. On vous attend ici. On n'est pas pressé... vous savez ? Biff est un des joueurs de football les plus célèbres du pays.

LA FILLE

Çà, pour sûr, je suis ravie de vous connaître..

HAPPY

Revenez le plus vite possible...

LA FILLE

Je vais faire ce que je peux.

HAPPY

Ce que femme veut, Dieu le veut, vous savez ça, hein ? (*La fille sort, Happy la regarde sortir avec une évidente admiration.*) Si c'est pas honteux, une belle fille comme ça ! Et on voudrait que je me marie. Mais il n'y a pas une femme honnête sur mille… New York est plein de filles comme ça, vieux !

BIFF

Happy, je voudrais te dire…

HAPPY

Je te l'avais dit, non, que c'était une occasion à saisir.

BIFF, *sec.*

Tu as fini ? J'ai quelque chose à te dire.

HAPPY

Tu as vu Olliver ?

BIFF

Oui, je l'ai vu. Maintenant écoute ; j'ai deux ou trois choses à dire à papa. Et je voudrais que tu m'aides, compris ?

HAPPY

Tu as la commandite ?

BIFF

Tu es fou, Happy… Tu es tout à fait fou…

HAPPY

Je suis fou ? Qu'est-ce qui arrive ?

BIFF, *ayant un peu l'air de perdre la tête.*

J'ai fait une bêtise, Happy. Je viens d'avoir la journée la plus bizarre que j'aie jamais connue. J'en suis tout étourdi, je te jure.

HAPPY

Il n'a pas voulu te recevoir ?

BIFF

J'ai attendu six heures… Toute la journée. En me faisant annoncer de temps en temps. J'ai même essayé de faire du rentre-dedans à la secrétaire pour qu'elle me donne un coup de main… Il n'y a rien eu à faire…

HAPPY

Tu as encore manqué de confiance en toi… c'est tout ! Il se souvenait de toi, tout de même ?

BIFF, *un geste pour arrêter Happy.*

Pour finir, vers cinq heures, il est sorti. Il ne se rappelait même pas qui j'étais, j'avais l'air idiot, moi… mais idiot !

HAPPY

Tu lui as parlé de mon projet de Floride ?

BIFF

Il m'a laissé tomber tout de suite. Je l'ai vu une minute. J'étais fou de rage, j'aurais pu tout casser ! Où ai-je été chercher que j'avais été quelqu'un d'important dans cette maison, j'étais employé au service des expéditions, c'est tout... J'en étais presque arrivé à croire moi-même que j'avais été un des représentants les plus en vue de la maison Olliver... Il a suffi qu'il me lance un regard, un seul regard... j'ai compris que, depuis quinze ans, je vivais dans un rêve... que nous vivions tous dans un rêve... (*Rageur.*) J'étais employé au service des expéditions. Voilà.

HAPPY

Qu'est-ce que tu as fait, alors ?

BIFF, *étonné, tendu.*

Eh bien, lui, il est sorti. Et sa secrétaire aussi. Et j'étais tout seul dans cette salle d'attente. Je ne sais pas ce qui m'a pris, Happy. Une minute après, j'étais dans son bureau : des lambris aux murs, des tapis et tout... Je ne sais pas ce qui m'a pris, Happy. J'ai volé son porte-plume réservoir.

HAPPY

Quoi ? Et ils t'ont pincé ?

BIFF

Je suis sorti en courant. J'ai dévalé les onze étages en courant. J'ai couru comme un dératé.

HAPPY

Mais pourquoi as-tu fait ça ?

BIFF, *à bout.*

Je ne sais pas. Je voulais voler quelque chose, c'est tout. Il faut que tu m'aides. (*Brusque.*) Happy, Je vais tout dire à papa.

HAPPY

Tu es tombé sur la tête ?

BIFF

Il faut qu'il comprenne une fois pour toutes que je ne suis pas un type à qui les gens prêtent de l'argent. Il croit que je l'ai fait exprès depuis des années, que je l'ai fait exprès pour le vexer, lui... et je sais bien que ça le ronge...

HAPPY

Justement, il vaudrait mieux lui dire quelque chose de gentil...

BIFF

Je ne pourrais pas.

HAPPY

Dis-lui que tu déjeunes demain avec Olliver.

BIFF

Et demain, qu'est-ce que je fais ?

HAPPY

Demain, tu quittes la maison le matin, tu reviens le soir, et tu lui dis qu'Olliver t'a écouté et qu'il a demandé à réfléchir. Et il y met du temps, Olliver. Il y réfléchit pendant quelques semaines... On finit par ne plus y penser et tout le monde est content.

BIFF

Mais il n'y a pas de raison pour que ça s'arrête...

HAPPY

Tu sais bien que papa n'est heureux que lorsqu'il peut faire des projets, alors ? (*Entrée de Willy.*) Ah... voilà le patron. (*Stanley a suivi Willy, lui avance une chaise, et va pour se retirer, mais Happy l'arrête.*) Stanley !

(*Ce dernier attend pour prendre la commande.*)

BIFF, *allant à Willy avec une tendresse coupable,
comme vers un malade.*

Assieds-toi, papa, tu veux boire quelque chose ?

WILLY

Et comment !

BIFF

On va se piquer le nez, hein ?

WILLY

Tu as des ennuis, toi ?

BIFF

N... non. (*À Stanley.*) Whisky, pour trois. Doubles whiskies, hein ?

STANLEY

Trois doubles, très bien.

(*Exit.*)

WILLY

Tu as déjà pris une petite avance, toi, hein ?

BIFF

Un ou deux, oui.

WILLY

Alors, quelles nouvelles, mon garçon ? (*Hochant la tête d'avance.*) Tout va bien ?

BIFF, *respire à fond et saisit la main de son père.*

Mon vieux... (*Il sourit courageusement. Willy sourit, lui aussi.*) J'en ai appris des choses aujourd'hui, tu sais.

HAPPY, *à tout hasard.*

Çà, oui, alors...

WILLY

Vraiment ? Qu'est-ce qui s'est passé ?

BIFF, *très légèrement ivre.*

Je vais te raconter tout ça, depuis le début... J'ai eu une drôle de journée. (*Silence. Il lance autour de lui des regards affolés. Cherche à se composer une attitude, mais sa voix reste incertaine.*) Il faut d'abord que tu saches que j'ai été obligé de l'attendre un peu...

WILLY

Olliver ?

BIFF

Oui, Olliver. Pour être franc, je l'ai même attendu toute la journée. Ce qui fait que j'ai repensé à des tas de choses, papa... des tas de choses concernant ma vie, tu vois ? Où avons-nous été chercher que j'étais voyageur de commerce chez Olliver ?

WILLY

Mais tu l'étais.

BIFF, *sec.*

Non, papa. J'étais employé aux expéditions.

WILLY

Mais c'est tout comme...

BIFF, *idem.*

Papa, je ne cherche plus à savoir qui le premier a inventé cette histoire... mais je n'ai jamais été représentant chez Olliver.

WILLY

Mais pourquoi me racontes-tu ça ?

182

BIFF

Si nous regardions les choses en face, ce soir, papa, non ? À quoi ça sert-il de se pousser ? J'étais employé aux expéditions.

WILLY, *qui commence à se fâcher.*

Tout ça, c'est très bien, mais…

BIFF

Je voudrais bien que tu me laisses finir…

WILLY

Je me fous de toutes tes considérations sur le passé et sur les expéditions… Nous n'avons plus de temps à perdre, mes enfants, plus de temps à perdre du tout. J'ai été flanqué à la porte.

BIFF, *atterré.*

Quoi ?

WILLY

Oui, flanqué à la porte. Ce qu'il me faut maintenant, c'est une bonne nouvelle à rapporter à votre mère. Cette femme attend depuis assez longtemps. Elle en a vu de toutes les couleurs depuis assez longtemps. Malheureusement, moi, je n'ai plus de ressort. Biff, moi, je n'ai plus rien à inventer. Et je te jure qu'il est tout à fait inutile de me faire une conférence sur ce qui s'est passé dans le temps… Je m'en fous. C'est le présent qui m'intéresse. Qu'est-ce que tu as à me dire ?

(*Stanley entre avec les boissons. Ils attendent, silencieux, que le garçon s'éloigne.*)

WILLY

Tu as vu Olliver ?

BIFF

Nom de Dieu de nom de Dieu...

WILLY

Tu y as été au moins ?

HAPPY

Bien sûr qu'il y a été.

BIFF

Oui, j'y ai été. Et je l'ai vu. Comment ont-ils osé te congédier ?

WILLY

Comment t'a-t-il reçu ?

BIFF

Ils ne te laissent même pas travailler à la commission ?

WILLY

Flanqué à la porte, je te dis. (*Revenant au sujet qui l'intéresse.*) Alors... Il t'a bien reçu ?

184

HAPPY, *qui veut tout arranger.*
Naturellement, papa...

BIFF, *pris au piège.*
Eh bien, il m'a reçu comme si...

WILLY
Je m'étais demandé s'il te reconnaîtrait, tu vois..
(*À Happy.*) Tu réalises, un type qui ne l'a pas vu
depuis dix ans, peut-être même douze, et qui le reçoit
comme ça ?

HAPPY
Bien sûr que je réalise !

BIFF, *cherchant à revenir à la vérité.*
Écoute, papa...

WILLY
Veux-tu que je te dise comment ça se fait qu'il t'a
reconnu ? Tu lui avais fait une impression du tonnerre, dans le temps, voilà pourquoi.

BIFF
Je voudrais beaucoup qu'on en parle calmement et
sans se monter la tête, c'est possible ?

WILLY, *comme si Biff l'avait interrompu.*
Alors qu'est-ce qui s'est passé ? Ah ! pour une
nouvelle, ça, c'est une nouvelle. Il t'a fait entrer dans

son bureau ? Vous êtes restés dans la salle d'attente, ou quoi ?

BIFF

Eh bien, il est entré, et…

WILLY, *large sourire.*

Et qu'est-ce qu'il t'a dit ? Je parie qu'il a passé son bras autour de tes épaules…

BIFF

C'est-à-dire…

WILLY

Oh !… C'est un type magnifique. (*À Happy.*) Et tu sais, on ne le voit pas comme on veut…

HAPPY

Non, non. Je sais.

WILLY, *à Biff.*

C'est chez lui que tu as bu quelque chose ?

BIFF

Oui. Il m'a offert deux… Oh ! non ! non !

HAPPY, *le coupant.*

Il lui a parlé de mon idée de Floride, papa !

WILLY

N'interromps pas, toi. (*À Biff.*) Qu'est-ce qu'il en a dit, de ce projet de Floride ?… Quelles ont été ses réactions ?

BIFF, *à bout.*

Papa, veux-tu bien me laisser une minute pour que je t'explique ?

WILLY

Mais je n'attends que ça depuis que je me suis assis ici ! Que tu t'expliques ! Alors ? Il t'a fait entrer dans son bureau, et puis ?

BIFF

Moi... j'ai parlé... Lui, il m'écoutait. Tu vois ?

WILLY

Tu sais qu'il est célèbre pour sa façon d'écouter les gens, Olliver ? Qu'est-ce qu'il t'a répondu ?

BIFF

Il a répondu... (*Brusque, avec colère.*) Papa, tu ne me laisses pas te dire ce que j'ai à te dire...

WILLY,
soupçonneux, tout à coup.

Toi, tu n'as pas été voir Olliver ?

BIFF

Mais si !

WILLY

Alors tu as fait une gaffe quelconque. Qu'est-ce que tu as fait ?

BIFF

Tu vas me laisser parler, dis ? Est-ce que tu vas me laisser parler ?

HAPPY

Écoutez, mes petits enfants...

WILLY

Dis-moi ce qui s'est passé.

BIFF, *à Happy.*

Je ne peux pas lui parler, tu vois...

(*Une note de trompette, stridente. La lumière des scènes du passé envahit la maison. Le tout a l'air d'un rêve. Le jeune Bernard entre et frappe à la porte de la maison.*)

LE JEUNE BERNARD, *frénétique.*

Madame Loman, madame Loman...

HAPPY

Dis-le, alors, ce qui s'est passé, puisqu'on te le demande.

BIFF, *à Happy.*

Ta gueule ! Laissez-moi seul...

WILLY

Seulement il a fallu que tu y ailles, hein ? et que tu te fasses recaler en mathématiques...

BIFF

En mathématiques ? Quelles mathématiques ?

LE JEUNE BERNARD

Madame Loman… Madame Loman !
(Linda, rajeunie, apparaît dans la maison.)

WILLY, *emporté.*

Les mathématiques… les mathématiques !

BIFF

Mais, papa, calme-toi…

LE JEUNE BERNARD

Madame Loman…

BIFF

Je l'ai attendu pendant six heures…

HAPPY

Qu'est-ce que tu vas dire ?… Fais attention…

BIFF

Je n'ai pas cessé de me faire annoncer, mais il
refusait toujours de me recevoir. Alors, pour finir,
il…
*(Biff continue son explication à voix basse, la
lumière descend sur le restaurant.)*

LE JEUNE BERNARD

Biff a raté les maths…

189

LINDA

Ce n'est pas vrai !

LE JEUNE BERNARD

Birnbaum l'a collé. Il est allé à la gare.

LINDA

À la gare ? Tu veux dire qu'il est parti pour Boston ?

LE JEUNE BERNARD

Est-ce qu'oncle Willy est à Boston ?

LINDA

Si seulement Willy pouvait aller voir ce professeur, lui parler. Oh ! pauvre garçon… mon pauvre petit garçon. (*La lumière disparaît sur la maison.*)

BIFF, *à la table, dans la lumière qui a remonté, tenant en main un porte-plume réservoir en or.*

Je suis brûlé chez Olliver… c'est clair, non ? Tu m'écoutes au moins ?

WILLY, *distrait perdu, dans son rêve.*

Mais oui… Si tu n'avais pas été recalé !

BIFF

Quoi « recalé » ? De quoi parles-tu ?

WILLY

Ah ! N'essaie pas de rejeter la faute sur moi… Moi, je n'ai pas raté les maths… Toi, oui… Tu parlais d'un porte-plume réservoir ?

190

HAPPY

C'est idiot ce que tu as fait là, Biff… Un réservoir comme ça, ça vaut…

WILLY, *qui voit le réservoir pour la première fois.*

Tu as pris le réservoir d'Olliver ?

BIFF

Mais, papa, je viens de t'expliquer…

WILLY

Tu as volé le réservoir de Bill Olliver ?

BIFF

Mais non, je ne l'ai pas volé… Je viens de t'expliquer. Je ne l'ai pas vraiment volé…

HAPPY

Il l'avait en main, et, quand Olliver est entré, il a perdu la tête et l'a mis en poche… comme ça, un réflexe, sans réfléchir…

WILLY

Mon Dieu !… Biff…

BIFF

Mais je n'avais pas l'intention de faire ça, papa…

UNE VOIX DE TÉLÉPHONISTE

Hôtel central Boston, bonsoir…

WILLY, *hurlant.*

Je ne suis pas dans ma chambre…

BIFF, *effrayé.*

Qu'est-ce qui te prend, papa ?

(*Il se lève. Happy aussi.*)

TÉLÉPHONISTE

Je vous passe M. Loman.

WILLY

Je n'y suis pas… Arrêtez ça tout de suite…

BIFF, *horrifié, un genou en terre devant Willy,
essayant de le faire se rasseoir.*

Je me débrouillerai, papa… Je me débrouillerai,
j'en sortirai. Assieds-toi.

WILLY

Tu n'arrives jamais à rien… à rien !

BIFF

Si, papa, je te jure… je trouverai autre chose. Ne
t'en fais pas pour moi… (*Relevant le visage de Willy.*)
Parle-moi, papa, dis quelque chose…

TÉLÉPHONISTE

M. Loman ne répond pas… Voulez-vous que je le
fasse appeler par un chasseur ?

WILLY, *brusquement levé
comme pour imposer silence à la téléphoniste*

Non, non !

HAPPY

Il décrochera quelque chose, papa...

WILLY, *désespéré.*

Non, non...

BIFF, *à bout, penché sur Willy.*

Papa, écoute... J'ai autre chose à te dire. Olliver a parlé à son associé de notre idée de Floride... Tu m'écoutes ? Il a été en parler à son associé, puis il est revenu... Tout ça s'arrangera, je te jure... Écoute-moi au moins, papa. Il m'a dit que la seule question en suspens, c'était le montant de la commandite.

WILLY

Mais alors tu l'as, cette commandite ?

HAPPY

C'est magnifique, hein, papa ?

WILLY, *tâchant de se lever.*

Alors tu l'as ? Tu l'as...

BIFF, *torturé, faisant se rasseoir Willy.*

Non, non... pas encore... Écoute-moi au moins quand je te parle. Je dois déjeuner avec eux demain. Ce que je t'en dis, c'est seulement pour te prouver que je suis encore capable de faire une bonne impression sur les gens. Je trouverai quelque chose d'autre, puisque je ne peux pas y aller demain.

WILLY

Pourquoi n'irais-tu pas ?

BIFF

Mais le porte-plume, papa…

WILLY, *un enfant.*

Eh bien, tu le lui rends, le porte-plume… et tu lui dis que tu l'as mis en poche par mégarde… c'est tout.

HAPPY

Bien entendu… Va à ton déjeuner.

BIFF

Je ne pourrais pas lui dire ça.

WILLY

Tu étais en train de faire un mot croisé et tu t'es servi de ce réservoir qui était là, c'est tout.

BIFF, *avec des cris.*

Mais essaie donc de comprendre. Il y a quelques années, je lui vole des ballons de football… Maintenant le coup du réservoir… C'est une drôle de coïncidence, ça ! Je ne pourrais pas le regarder en face. J'essaierai ailleurs.

WILLY

Tu n'as donc pas envie de devenir quelqu'un ?

BIFF

Mais, mon petit papa, comment veux-tu que j'y retourne ?

WILLY

Tu n'as donc pas envie de te débrouiller, c'est ça la vérité ?

BIFF, *qui se fâche brusquement devant l'incompréhension de Willy.*

Je te prierais de ne pas le prendre comme ça... tu crois que c'était facile de me présenter chez lui après ce qui était arrivé ?

WILLY

Alors, pourquoi y as-tu été ?

BIFF

Pourquoi j'y ai été ? Pourquoi j'y ai été ? Regarde-toi... Regarde où tu en es... Voilà pourquoi j'y ai été.
(*On entend, venant de la gauche, le rire de la femme.*)

WILLY

Biff, tu vas me faire le plaisir d'aller à ce déjeuner demain.

BIFF

Non. D'abord, je n'ai pas de rendez-vous. Ce n'est pas vrai.

HAPPY

Pour l'amour de Dieu, Biff...

WILLY

Tu te fous de moi ?

BIFF

Mais ne prends pas tout pour toi, nom de Dieu.

WILLY, *s'éloignant de la table en chancelant.*
Hein ? Petit salopard... tu te fous de moi ?

VOIX DE LA FEMME

Il y a quelqu'un derrière la porte... Willy.

BIFF

Tu ne comprends donc rien ? Tu ne comprends
donc pas ce que je suis ?

HAPPY, *les séparant.*
Voulez-vous cesser tous les deux. Vous êtes dans
un restaurant. (*Les deux filles entrent.*) Bonsoir, mesdemoiselles, asseyez-vous.

FORSYTHE

Letta ne pourra malheureusement pas rester très tard.

LETTA

Il faut que je me lève tôt demain. Je suis membre
d'un jury. Je suis excitée ! Vous avez déjà été jurés,
vous, messieurs ?

BIFF

Jurés, non. Jugés, oui ! Deux ou trois fois... (*Rires
des filles.*) Je vous présente mon père.

LETTA

Ce qu'il est mignon. Asseyez-vous avec nous, mon petit père.

HAPPY

Fais-le asseoir, Biff.

BIFF, *allant à lui.*

Viens, mon vieux… on va se flanquer une de ces cuites ! Après nous, le déluge, hein… Allons, viens, assieds-toi.

(*Willy est prêt à s'asseoir devant l'instance de Biff.*)

VOIX DE LA FEMME, *le ton montant.*

Willy, est-ce que tu vas répondre ?… On frappe à la porte.

(*Les mots que vient de prononcer la voix de la femme rejettent Willy en arrière. Il part vers la droite, hagard.*)

BIFF

Où vas-tu, papa ?

WILLY, *absent, fou.*

Je vais ouvrir la porte.

BIFF

La porte ?

WILLY, *idem.*

La salle de bains… la porte… où est la porte ?

BIFF, *le conduisant vers la gauche.*

Là, papa... tout droit...

(*Willy part vers la gauche et sort.*)

LETTA

Je vous trouve bien gentils d'avoir amené votre père, comme ça.

FORSYTHE

Oh ! c'est vraiment votre père, tout de même ?

BIFF, *rageur.*

Mademoiselle Forsythe..., le type que vous venez de voir sortir est un grand bonhomme. Un grand bonhomme malheureux... un bonhomme qui a travaillé toute sa vie, et que personne n'apprécie à sa juste valeur. C'est un ami, un compagnon et qui a tout fait pour ses fils.

LETTA

Ce que c'est mignon !

HAPPY

Alors, mesdemoiselles, qu'est-ce qu'on fait ? On est là à perdre son temps. Viens, Biff... Viens qu'on discute... Où voulez-vous aller ?

BIFF, *au comble de la rage.*

Pourquoi n'as-tu jamais rien fait pour lui ?

HAPPY

Moi ?

BIFF, *idem*.

Tu te fous de lui comme de ta première culotte, hein ?

HAPPY

Qu'est-ce que tu racontes ? Je suis le seul qui...

BIFF, *idem*.

Et je pense ce que je te dis... tu te fous absolument de lui. (*Il sort le tuyau de caoutchouc qu'il avait tout enroulé dans sa poche et le pose sur la table devant Happy.*) Voilà ce que j'ai trouvé dans la cave. Est-ce que ça peut continuer comme ça ? Non !... Alors ? Comment peux-tu supporter ça ?

HAPPY

Moi... tu en as de bonnes... Qui est parti ? Qui a foutu le camp ?

BIFF

D'accord... Seulement, pour toi, il ne représente rien. Toi, tu pourrais l'aider... Moi, je ne peux pas. Est-ce que tu réalises qu'il a envie de se tuer ?

HAPPY

Mais oui.

BIFF

Aide-le, mon vieux… Aide-le, pour l'amour de
Dieu. Et aide-moi. Je ne suis plus capable de le regarder en face.

(*Au bord des larmes, il sort à droite.*)

HAPPY, *avec un mouvement pour le suivre*.

Où vas-tu ?

FORSYTHE

Mais qu'est-ce qu'il a à gueuler comme ça, votre
frère ?

HAPPY

Venez, mes poulettes, on va le rattraper.

FORSYTHE

Dites donc, je n'aime pas beaucoup ce genre-là,
vous savez.

HAPPY

Il a été un peu surmené, voilà tout. Ça lui passe
tout de suite.

LETTA

Mais il vaudrait mieux dire à votre père…

HAPPY

Laissez tomber… Ce type n'est pas mon père…
C'est, enfin… Peu importe. Venez, mes poulettes, on
va rattraper Biff, et on va faire une virée comme on

en fait une par an. Stanley !... L'addition... Hé !
Stanley.

        (*Ils sortent. Stanley paraît à gauche.*)

    STANLEY, *indigné, derrière Happy.*

Monsieur Loman ! Votre père, monsieur Loman ! ! !
    (*Il se saisit d'une chaise et les suit. On entend frapper
à une porte vers la gauche. La femme entre, toujours riant.
Willy la suit. Elle est en combinaison noire. Lui, rebou-
tonne sa chemise. En fond, une musique sensuelle, idiote.*)

        WILLY

Cesse de rire... mais cesse donc de rire.

        LA FEMME

Il vaudrait peut-être mieux que tu lui ouvres ? Il
va réveiller tout l'hôtel !

        WILLY

Je n'attends personne.

        LA FEMME

Non, alors, viens prendre quelque chose ! Bois
quelque chose... Tu es toujours là à ruminer Dieu sait
quoi... Qu'est-ce que tu as ?

        WILLY

J'ai que je suis seul, c'est tout.

        LA FEMME, *boudeuse.*

Quand je pense à ce que je fais pour toi. Quand tu
viens au bureau, tu passes chez l'acheteur tout de

suite, sans attendre… Je te fais passer tout de suite avant tous les autres. Je me compromets pour toi.

WILLY

Tu es gentille, tiens, de me dire ça…

LA FEMME

Mais qu'est-ce que tu as ? Pourquoi es-tu toujours aussi triste ? Tu es le type le plus triste, le plus replié sur lui-même que j'aie jamais rencontré. (*Elle rit. Il l'embrasse.*) Viens, mon bonhomme… qu'on se recouche. On a bonne mine de se rhabiller comme ça, au milieu de la nuit. (*On frappe à la porte.*) Je te jure qu'il vaudrait mieux que tu ouvres.

WILLY

C'est quelqu'un qui se trompe de porte.

LA FEMME

Je te jure qu'on frappe… et qu'on nous a entendus parler, tous les deux… Peut-être que l'hôtel brûle.

WILLY, *qui s'énerve.*

C'est une erreur, je te dis.

LA FEMME

Renvoie-le, si c'est une erreur…

WILLY

Mais il n'y a personne là.

LA FEMME

Ça m'énerve, Willy. Je te dis qu'il y a quelqu'un là, derrière la porte. Ça m'énerve.

WILLY, *la repoussant.*

Bon... Va dans la salle de bains et n'en sors pas surtout ! Tu n'as pas le droit d'être dans ma chambre à cette heure-ci. Il y a une loi à Boston. On ne peut pas recevoir de femmes sans les faire inscrire. Ça doit être le nouveau type de la réception... Il avait une gueule qui ne me revenait pas... Ne te montre pas... Je te dis que c'est une erreur... et qu'il n'y a pas d'incendie.

(*On frappe encore. Elle disparaît dans la coulisse. La lumière suit Willy. Et voici tout à coup qu'il se trouve devant le jeune Biff. Biff porte une valise et s'avance vers son père.*)

BIFF

Pourquoi tu n'ouvrais pas ?

WILLY

Biff... qu'est-ce que tu fais à Boston ?

BIFF

Pourquoi tu n'ouvrais pas ? Voilà cinq minutes que je frappe ? J'ai essayé de te téléphoner.

WILLY

Voilà tout juste que je t'entends !... J'étais dans la salle de bains... la porte était fermée... Il est arrivé quelque chose à la maison ?

BIFF

Papa, tu vas m'engueuler.

WILLY

Moi ?

BIFF

Tu vas m'engueuler parce que je vais te décevoir.

WILLY

Qu'est-ce qui se passe, mon gros père ? (*Lui mettant la main sur les épaules.*) Viens, je te paie un lait malté en bas.

BIFF

Papa, j'ai été recalé en maths.

WILLY

Au certificat ?

BIFF

Au certificat. Je n'ai pas les notes nécessaires pour monter de classe.

WILLY

Bernard ne t'a pas donné les réponses ?

BIFF

Oh ! il a essayé, mais ils m'ont collé un six.

WILLY

Et ils ne veulent pas te mettre les quatre points qui te manquent ?

BIFF

Birnbaum a refusé catégoriquement. Je me suis traîné à ses pieds, papa ; mais il a refusé catégoriquement de me donner les quatre points. Il faut que tu le voies, que tu lui parles avant qu'ils ne ferment l'école... parce que, tu vois, si tu lui parles, je suis sûr qu'il fera quelque chose pour moi. On était en plein entraînement, tu vois, papa..., en plein entraînement, et je n'ai pas assez travaillé, c'est vrai. Dis-lui, dis-lui tout ça. Je suis certain qu'en cinq minutes, il t'adorera. Je sais bien comment tu parles aux gens, quand tu veux.

WILLY

Mon gros père, c'est comme si tu les avais, tes quatre points ! Nous rentrons tout de suite.

BIFF

Papa, tu es merveilleux. Je suis sûr qu'il t'accordera tout ce que tu lui demanderas.

WILLY

Descends, dis au type de la réception que je quitte la chambre. Dépêche-toi.

BIFF

Entendu, m'sieur. (*Fausse sortie.*) Tu sais, il me déteste, mais il a une raison. Un jour, il était en retard pour le cours de maths, je suis monté au tableau noir, et je l'ai imité… Il louche un peu… et il a un défaut de prononciation.

WILLY, *riant.*

Tu as fait ça… Et les copains ?

BIFF

Oh ! les copains… ils mouraient de rire, tu penses.

WILLY, *plein d'admiration.*

Et qu'est-ce que tu as fait ?

BIFF

La rrachine carrée de choichante ching. (*Willy éclate de rire, Biff rit à son tour.*) Et figure-toi, au milieu de mon petit numéro, le voilà qui entre…

(*Willy rit une fois encore. La femme, en coulisse, rit en écho.*)

WILLY, *vite.*

Allons dépêche-toi… Descends !

BIFF

Il y a quelqu'un là.

WILLY

Non. C'était dans la chambre à côté. Ils ont des invités.

BIFF

Je te dis qu'il y a quelqu'un là, dans ta salle de bains.

WILLY

Mais non. C'est la chambre à côté. Ils ont des invités.

LA FEMME, *qui entre, chuintant et riant.*

On peut entrer ? Il y a quelque choche dans la
baignoire, Willy…, quelque choche qui bouche.

(*Willy regarde Biff. Ce dernier est là, bouche
ouverte, et considère la femme avec horreur.*)

WILLY

Vous feriez peut-être mieux de retourner dans
votre chambre, non ? Ils doivent avoir fini leur petit
travail de peinture à cette heure-ci. Figure-toi qu'on
est en train de repeindre sa chambre… et Madame
m'a demandé de pouvoir prendre une douche ici.
Allez-y… Madame… Retournez chez vous.

(*Il la pousse dehors.*)

LA FEMME, *qui résiste.*

Mais il faut que je m'habille, Willy.

WILLY

Allez-y, madame, rentrez chez vous… chez vous.
(*Dans un grand effort de naturel.*) Oh oui… Biff…
voici Mlle Francis…, c'est l'acheteuse d'un de mes
clients. On repeint sa chambre… c'est trop bête. Rentrez chez vous, mademoiselle Francis… Rentrez chez
vous.

LA FEMME

Mes vêtements... Je ne peux tout de même pas traverser le hall toute nue ?

WILLY, *la poussant hors de scène.*

Mais allez-vous-en. Quand je vous le dis.

(*Biff s'assied lentement sur sa valise, cependant que la discussion se continue hors scène.*)

LA FEMME

Mes bas... Où sont mes bas ? Tu m'avais promis des bas, Willy.

WILLY

Je n'en ai pas.

LA FEMME, *obstinée, idiote.*

Tu avais deux boîtes de n° 9 pour moi... Tu me les avais promis.

WILLY

Tiens.. voilà... Mais va-t'en, pour l'amour de Dieu.

LA FEMME, *revenant et ayant, à la main,*
des boîtes de bas.

J'espère qu'il n'y aura personne dans le hall. C'est ma seule chance. (*À Biff.*) Football ou base-ball ?

BIFF

Football.

208

LA FEMME, *humiliée.*

Bravo ! c'est justement le sport que j'aime. Bonsoir.

(*Elle arrache les vêtements que porte Willy et sort.*)

WILLY, *après un temps pénible.*

Allons, en route. Il n'y a pas de temps à perdre si je dois être à l'école demain à la première heure. Prends mes affaires dans le placard, là. Je vais chercher ma valise. (*Aucun mouvement de Biff, il est immobile, mais ses larmes coulent.*) C'est une acheteuse. C'est l'acheteuse de la firme Simmons. Elle a une chambre de l'autre côté du hall. Même qu'on est occupé à la repeindre. Tu ne vas tout de même pas t'imaginer... (*Il s'arrête.*) Écoute-moi, petit, c'est une acheteuse... et sa chambre... (*Un temps. Ton de commandement.*) Parfait ! Mes affaires, dans le placard. (*Pas de mouvement chez Biff.*) Vas-tu cesser de pleurer et faire ce que je te dis ? C'est un ordre, Biff, je t'ai donné un ordre... c'est tout l'effet que ça te fait ? Je te défends de pleurer. (*Biff dans ses bras.*) Écoute-moi, petit... un jour tu comprendras tout ça. Il ne faut pas te monter la tête... ça n'a pas d'importance. J'irai voir Birnbaum à la première heure demain matin.

BIFF, *détruit.*

Oh ! çà...

WILLY

Comment : « Oh ! çà » ? Il te donnera tes quatre points, je t'en fous mon billet.

BIFF

Il ne t'écoutera même pas.

WILLY

C'est ce que nous verrons. Il te faut ces points pour entrer à l'Université.

BIFF

Je n'irai pas à l'Université.

WILLY

Quoi ? Mais... même si je n'arrive pas à le faire changer d'avis, tu prendras des cours d'été. Tu as tout l'été pour préparer la rentrée.

BIFF, *écrasé de sanglots.*

Papa...

WILLY, *éperdu.*

Petit...

BIFF

Oh ! papa...

WILLY

Je te jure qu'elle ne représente rien pour moi. rien du tout... Seulement, j'étais seul... tout seul..

210

BIFF

Tu… tu lui as donné les bas de maman…
(*En larmes, levé pour partir.*)

WILLY

Je t'ai donné un ordre.

BIFF

Ne me touche pas surtout, menteur.

WILLY

Tu vas t'excuser tout de suite.

BIFF

Menteur… tricheur… sale tricheur.
(*Dépassé, il tourne les talons et, toujours en larmes, disparaît, avec sa valise. Willy est à genoux sur le sol.*)

WILLY

Un ordre… je t'ai donné un ordre. Reviens ici tout de suite… Biff…
(*La lumière du restaurant revient. Stanley est entré très vite et se tient debout devant Willy.*)

WILLY, *à Stanley.*

Je t'ai donné un ordre…

STANLEY

Du calme… Levez-vous, monsieur Loman… Levez-vous… (*Il aide Willy à se mettre debout.*) Vos

211

garçons sont partis avec les poulettes. Ils vous font dire qu'ils vous retrouveront à la maison.

(*Un autre garçon observe la scène de loin.*)

WILLY

Mais nous devions dîner ensemble ?

STANLEY

Je ne sais pas, moi, monsieur. Ça ira ?

WILLY

Oui, oui. Ça ira très bien. (*Soucieux tout à coup.*) Je ne suis pas trop déjeté ?

STANLEY

Pas du tout... Vous êtes très bien.

WILLY

Voilà... voilà un dollar.

STANLEY

Votre fils a tout réglé, monsieur. Tout est en ordre.

WILLY, *poussant l'argent dans la main de Stanley.*

C'est pour vous. Pour vous remercier...

STANLEY

Mais, monsieur, il ne faut pas...

WILLY

Tenez... en voilà encore... Moi, je n'en ai plus besoin, maintenant. (*Un petit temps.*) Dites-moi, est-ce qu'il y a un marchand de semences dans les environs ?

STANLEY

Des semences ? Des semences de fruits ou de légumes ? À planter ?

(*Comme Willy se détourne, Stanley lui remet adroitement l'argent dans la poche de son veston.*)

WILLY

Oui... des carottes, des pois. .

STANLEY

Il y a un magasin à la sixième avenue... à moins qu'il ne soit fermé à cette heure-ci...

WILLY, *anxieusement.*

Il faut que je me dépêche... il faut que j'achète ces semences. (*Il va vers la droite.*) Il faut que j'aie des semences, tout de suite. Il n'y a rien de planté... rien. Dans tout le jardin... rien de planté... rien du tout !...

(*Willy sort en hâte. Stanley suit un peu le mouvement, puis remarque l'autre garçon qui est toujours là, bouche bée.*)

STANLEY

Alors ? Ça te regarde, tout ça ?

(*Le garçon prend les chaises et sort. Stanley le suit, emportant la table. La lumière descend et s'évanouit. Dans le grand silence qui suit, le chant de la flûte s'élève. Puis la lumière monte sur la cuisine. Elle est vide d'abord. Puis Happy apparaît à la porte, suivi de Biff. Happy porte un énorme bouquet de roses de serre, des roses de fleuriste, à longues tiges. Il entre dans la cuisine, se retourne vers Biff, qui est resté à l'extérieur et lui fait un signe, indiquant par là qu'il n'y a personne. Il va vers le living-room et recule, frappé. Linda, calmement, mais le visage fermé, vient vers Happy qui, effrayé, recule dans la cuisine.)*

HAPPY

Tu es toujours debout, toi ? (*Linda, sans répondre avance sur lui.*) Où est papa ? Il dort ?

LINDA

D'où venez-vous ?

HAPPY, *riant pour s'en tirer.*

On a rencontré deux filles, maman... deux filles très bien. Et on t'a apporté des fleurs. Voilà. (*Les tendant.*) Tu les mettras dans ta chambre, hein ?

(*Elle les lance à toute force sur le sol, aux pieds mêmes de Biff. Il était entré et avait fermé la porte derrière lui. Elle le regarde en silence.*)

HAPPY

Pourquoi fais-tu ça... ? Moi qui étais tout content de t'apporter des fleurs...

LINDA, *à Biff, avec violence.*

Tu t'en fous, alors, qu'il vive ou qu'il meure..

HAPPY, *vers l'escalier.*

Viens, Biff.

BIFF, *à Happy.*

Laisse-moi tranquille, veux-tu ? (*À Linda.*) Qu'est-ce que tu veux dire avec ton « qu'il vive ou qu'il meure » ? Personne n'a envie de mourir ici.

LINDA

Va-t'en… Allez-vous-en… tous les deux.

HAPPY

Mais, maman…

LINDA

Tu avais besoin de sortir avec des filles, ce soir ?… Tu avais besoin de courir après tes putains, ce soir ?

HAPPY

Mais j'avais tout de même le droit d'essayer de relever le moral de Biff, non ? (*À Biff.*) Parce que tu m'en as fait voir, toi…

LINDA

Allez-vous-en… tous les deux… et ne remettez plus les pieds ici. (*Après avoir eu un geste pour ramasser les fleurs.*) Ramassez-moi ça… C'est fini, pour moi, de jouer à la servante. Ramassez ça.

(*Biff lentement vient vers elle et, s'agenouillant, ramasse les fleurs.*)

HAPPY

Mais, maman, puisque je te jure qu'on s'est très bien amusés, tous les trois.

BIFF, *le coupant avec violence.*

Ta gueule, toi...

(*Sans un mot, Happy monte l'escalier.*)

LINDA

Quand je pense que tu n'es même pas allé voir comment il allait... ce qui lui arrivait.

BIFF, *sourdement, toujours à genoux devant elle, les fleurs dans les mains.*

Non, non... je n'ai pas été... Je n'ai rien dit, je n'ai rien fait... Ça t'étonne, hein !... Je l'ai laissé tout seul se débrouiller, à la toilette.

LINDA

Petit salaud !

BIFF

Un salaud. Tu l'as dit... Enfin ! tu l'as dit. (*Calmement il se lève et jette les fleurs.*) Le roi des salauds.

LINDA

Va-t'en.

BIFF

Pas question. Il faut que je lui parle. Où est-il ?

LINDA

Je ne veux pas que tu lui parles. Va-t'en tout de suite.

BIFF

Pas question. Nous allons avoir une petite conversation, tous les deux, tu vas voir.

LINDA

Je te défends... (*La voix de Willy derrière la maison. Linda, presque humble, presque suppliante.*) Je t'en supplie... laisse-le.

BIFF

Qu'est-ce qu'il fait là dehors ?

LINDA

Il travaille dans le jardin... Il a rapporté des semences.

BIFF, *calmement.*

À cette heure-ci... Seigneur Dieu !

(*Biff sort. Linda le suit. La lumière s'éteint sur la cuisine. Willy paraît à l'avant-scène. Il porte une lampe de poche et des sachets de semences. Il déchiffre les instructions imprimées sur les sachets. Autour de lui, nuit bleue.*)

WILLY

Carottes, quatre par pouce, environ... (*Mesurant.*) Un pied. (*Il pose un sachet par terre et continue.*)

Betteraves… (*Idem.*) Laitues… (*Même jeu.*) Un pied… (*Il s'arrête brusquement, car Ben vient d'apparaître. Willy descend lentement à lui.*) Étonnante, la proposition. Étonnante. Elle en a vu, Ben. Cette femme, elle en a vu de toutes les couleurs. Elle a souffert, je te le dis… et un homme ne peut pas s'en aller et laisser les gens derrière lui, les mains vides… un homme se doit de leur donner quelque chose… Si, si, c'est comme ça. (*Ben a vers lui un mouvement, comme pour l'interrompre.*) Attends ! Attends… Réfléchis d'abord ; ne réponds pas trop vite… je te le dis, c'est une proposition de 20 000 dollars… 20 000 dollars garantis ! Je t'en prie, Ben, aide-moi… pèse le pour et le contre de cette affaire… Je n'ai personne à qui parler. Elle en a trop vu, tu comprends, trop…

BEN, *immobile, attentif.*

Quelle est cette proposition ?

WILLY

Vingt mille qui tombent… Vingt mille garantis, comptant.

BEN

Ne fais pas l'imbécile… Et s'ils n'honoraient pas la police ?

WILLY

Comment pourraient-ils ne pas l'honorer ? J'ai travaillé comme un nègre toute ma vie… je n'ai jamais eu

de retard pour les primes... jamais. Et ils refuseraient
de payer... Ce n'est pas possible.

BEN
C'est ce qu'on appelle une lâcheté, William.

WILLY
De quel droit ? Tu crois qu'il faut plus de cran
pour rester là, pendant toute sa vie, comme un raté...
à se regarder décliner ?

BEN, *conciliant.*
C'est un point de vue, William. (*Il s'éloigne, rêve
un peu, se retourne.*) Et vingt mille dollars, évidemment... c'est quelque chose... dans la main... Ça
compte... évidemment.

(*Ben s'éloigne et s'évanouit au fond. Biff descend à
gauche de Willy.*)

WILLY, *soudain conscient de la présence de Biff,*
se retourne vivement vers lui,
puis se met à ramasser nerveusement
et pêle-mêle sachets et outils.
Les semences, maintenant. Où sont ces semences ?
Il fait noir comme dans un four, ici... Ils nous ont
quasi emmurés avec leurs immeubles.

BIFF
Il y a des voisins, papa...

de retard pour les prix mais. Et ils refuseraient de payer.

WILLY

Je m'en fous. Laisse-moi, je suis occupé.

BIFF

Je suis venu te dire adieu, papa. (*Willy le regarde en silence, incapable de plus faire aucun geste.*) Je ne reviendrai plus.

WILLY

Et Olliver ? Demain matin ?

BIFF

Je n'ai pas de rendez-vous, papa.

WILLY

Il t'a pris par les épaules et tu n'as pas de rendez-vous ?

BIFF

Papa, je t'en prie... Voilà combien de temps que nous ne parvenons pas à nous entendre ? Aujourd'hui, j'ai vu clair en moi... j'ai enfin vu clair en moi... et j'ai fait tout mon possible pour t'expliquer... Malheureusement... malheureusement je crois que je suis trop bête pour expliquer quoi que ce soit. Tant pis. Ne cherchons pas à savoir qui est responsable de ce qui nous arrive... Ça n'a plus d'importance, crois-moi. (*Prenant le bras de Willy.*) Oublions tout ça... Viens... Nous allons dire ça à maman.

WILLY, *immobile, glacé, coupable*

Non... je ne veux pas la voir.

BIFF

Allons, allons. Viens !

WILLY, *dur.*

Fous-moi la paix.

BIFF

Tu n'as rien fait de mal. Ce n'est pas ta faute. C'est la mienne. Je suis un raté. Viens... Tu entends ce que je te dis ?

(*Willy, brusquement, se dirige vers la maison et y entre. Biff le suit.*)

LINDA

Tu as tout planté, chéri ?

BIFF, à *Linda, depuis la porte.*

Tout va bien. Nous nous sommes expliqués. Je m'en vais. Pour de bon... et je n'écrirai plus.

LINDA, *allant à Willy, dans la cuisine.*

C'est ce qu'il y a de mieux à faire, chéri ! Pourquoi continuer, vous épuiser tous les deux ?... Vous ne vous entendrez jamais.

BIFF

Si on vous demande où je suis passé... ce que je fais... dites que vous ne savez pas... que vous ne cherchez pas à savoir... Que ça vous sorte de la tête, et que vous puissiez recommencer une existence normale. Et prospère. C'est compris ? Tout est arrangé comme ça, non ? (*Willy est resté silencieux, Biff va vers lui.*) Tu me souhaiteras tout de même bonne chance, patron ? (*Tendant la main.*) Non ?

LINDA

Donne-lui la main, Willy.

W I L L Y, *tourné vers elle, douloureusement.*

On pourrait très bien ne pas parler de ce porteplume réservoir...

B I F F, *patiemment.*

Je n'ai pas de rendez-vous, papa...

WILLY

Il a mis son bras sur ton épaule.

BIFF

Papa, tu t'obstines à ne pas voir qui je suis... Pourquoi continuer à en parler ? (*Avec un pauvre sourire.*) Je vous enverrai un chèque si je fais fortune... D'ici là, oubliez-moi. Adieu !

WILLY

Crève la bouche ouverte si jamais tu quittes cette maison !

BIFF, *sortant, se retourne*

Mais qu'est-ce que tu veux à la fin ?

WILLY

Je veux que tu saches, partout où tu iras, dans les trains, sur les montagnes, dans les villes, partout... que tu as raté ta vie. Voilà.

(*Happy paraît dans les escaliers.*)

BIFF

D'accord.

WILLY

Tu cherches à m'atteindre... Tu cherches à me faire du mal ! Je vois clair dans ton jeu... Je vois clair.

BIFF

Espèce de vieux piqué. Puisque tu insistes...

(*Il sort le tuyau de caoutchouc de sa poche et le lance sur la table.*)

HAPPY

Biff, tu es fou !

LINDA

Biff !

BIFF

Laisse cela tranquille, maman ! N'y touche pas.

223

WILLY, *sans un regard.*

Qu'est-ce que c'est ?

BIFF

Tu sais très bien ce que c'est.

WILLY, *mentant.*

Jamais vu.

BIFF

Jamais vu ! Ce sont les souris, peut-être, qui l'ont amené dans la cave... pour faire une petite farce ? Qu'est-ce que tu voulais faire, hein ? Jouer au héros ? Te faire regretter ? Nous faire pousser des remords ?

WILLY

Je ne sais pas ce que tu veux dire.

BIFF

Et puisque tu veux la vérité... tu vas l'avoir, la vérité, sur toi et sur moi.

HAPPY, *descendant vivement, à Biff.*

Tu vas te taire, maintenant.

BIFF, *à Happy.*

Ah... ce type ne sait pas qui nous sommes... eh bien ! il l'apprendra. (*À Willy.*) On ne sait pas ce que c'est, la vérité, dans cette maison... On n'a jamais dit la vérité dix minutes de suite...

HAPPY

Nous avons toujours dit la vérité !

BIFF, *la violence même*.

Pauvre imbécile... Tu es fondé de pouvoirs, toi ? Jamais de la vie ! Tu es l'assistant du secrétaire du fondé de pouvoirs... C'est vrai ou pas ?

HAPPY

C'est-à-dire...

BIFF

C'est-à-dire que tu mens. Comme nous tous... Tu te gonfles... comme nous tous. Et moi, j'en ai jusque-là de ce petit jeu. (*À Willy.*) Toi, tu vas m'écouter. . Je vais te dire qui je suis.

WILLY

Je sais très bien qui tu es.

BIFF

Tu ne sais rien du tout. Tu veux savoir pourquoi je n'avais pas d'adresse depuis trois mois. J'avais volé un costume à Kansas City... et j'étais en taule. Voilà. (*À Linda qui pleure.*) Pas la peine de pleurer... C'est fini.

WILLY

Je suppose que c'est encore ma faute, ça ?

BIFF

On m'a foutu à la porte de partout, parce que j'ai toujours trouvé le moyen de voler quelque chose...

WILLY

Et c'est ma faute ?

BIFF

Tu m'as toujours monté la tête. Voilà pourquoi je n'ai jamais réussi... J'en ai jusque-là, tu vois, jusque-là. Et j'allais devenir l'égal du patron. Comme toujours, hein, bien sûr ! Jusque-là...

WILLY

Eh bien, tue-toi, si tu en as jusque-là ! Tue-toi !

BIFF

On ne se tue pas comme ça. Je me suis à moitié cassé la figure en dévalant mes onze étages tout à l'heure... avec ce nom de Dieu de porte-plume réservoir en main. Et puis tout à coup... je me suis arrêté... oui ! Arrêté... au beau milieu des bureaux... et du monde... je me suis arrêté parce que je voyais le ciel par la fenêtre. Oui, oui... c'est comme ça... le ciel ! Et je l'ai bien regardé, le ciel... parce que c'est tout ce que j'aime au monde... travailler, manger... et prendre le temps de m'asseoir et de regarder le ciel. Je me suis vu, là, avec ce réservoir en main... et je me suis demandé pourquoi je me lançais dans toutes ces aventures... Je me suis demandé pourquoi j'étais venu me prostituer dans ces bureaux, alors que tout ce que j'aime m'attendait dehors. Seulement, pour ça, il ne fallait plus me mentir à moi-même... Veux-tu me dire pourquoi je n'ai jamais pu t'expliquer ça ?... Veux-tu me le dire ?

(*Il cherche une fois encore le regard de Willy, mais celui-ci le repousse.*)

WILLY, *presque haineusement.*

C'est ta vie après tout...

BIFF

Papa, il y en a treize à la douzaine, des types comme moi, des types comme toi !

WILLY, *un éclat.*

Treize à la douzaine ! Je suis Willy Loman ! Et toi tu es Biff Loman, et je te défends...

(*Biff se lance sur Willy, mais Happy s'interpose... Biff semble hors de lui.*)

BIFF

Je ne suis pas un chef... je ne suis pas un meneur d'hommes, Willy Loman ! Et toi non plus... Toi. tu es un type de rien du tout. Moi ? Je vaux un dollar de l'heure.

WILLY

Tu crèves de mépris !

BIFF, *au comble de la fureur.*

Je ne suis rien, papa. Je ne suis rien. Tu ne veux pas comprendre ça, non ! Tu ne peux pas ? Il n'est pas question de mépris... Seulement je sais ce que je suis..

(*Et, brusquement, Biff retombe, toute fureur évanouie, et éclate en sanglots dans les bras de Willy qui, comme un aveugle, passe les mains sur le visage de son fils.*)

WILLY

Qu'est-ce que tu fais ? Mais qu'est-ce que tu fais ? (*À Linda.*) Pourquoi pleure-t-il ?

BIFF, *brisé.*

Laisse-moi m'en aller, pour l'amour de Dieu... Cesse de vivre dans des rêves qui ne tiennent pas debout... Et reviens à toi, avant que quelque chose de terrible ne nous arrive... (*Se reprenant, vers l'escalier.*) Je m'en irai demain matin... Qu'il aille dormir, mettez-le au lit...

(*Et il monte l'escalier vers la chambre.*)

WILLY, *après un long silence, d'une voix neuve, régénérée.*

Mais... mais... ce garçon ne me déteste pas...

LINDA

Ton garçon t'aime, Willy...

228

HAPPY

Il t'a toujours aimé.

(*Profondément ému.*)

WILLY

Biff... (*Regard étrange.*) Il pleurait... Il pleurait pour moi... À cause de moi... (*L'amour l'étrangle, puis c'est un cri.*) Ce garçon... Ce garçon fera des malheurs...

(*Ben apparaît à l'extérieur de la maison.*)

BEN

Des malheurs ?... (*Posant les conditions.*) Avec 20 000 dollars derrière lui...

LINDA, *intuitive, inquiète.*

Viens, Willy... Viens... au lit... Tout est arrangé.

WILLY, *on sent qu'il a du mal à ne pas sortir en courant de la maison.*

Oui, bien sûr, au lit... Va te coucher, Happy.

BEN

Pour en sortir de cette jungle, il faut qu'un homme soit fort grand !

HAPPY, *prenant Linda dans ses bras.*

Moi, je me marierai, papa... Ça changera tout. Je serai directeur du département avant la fin de l'année... Je te jure... je te jure, maman... Tu verras !

(*Il embrasse Linda.*)

BEN

C'est sombre, la jungle, Willy... Mais c'est plein de diamants...

(*Willy est presque détourné, son attention tout entière accrochée à Ben.*)

LINDA

Fais ton possible. Faites tous les deux votre possible : c'est tout ce qu'on vous demande...

HAPPY

Dors bien, papa.

(*Il monte les escaliers à son tour.*)

LINDA

Viens maintenant, chéri.

BEN, *plus fort.*

Seulement, il faut y entrer pour trouver un diamant.

WILLY, *à Linda,*
tout en partant lentement vers la porte de la cuisine.

Je voudrais me calmer un peu, Linda... Laisse-moi seul, un moment, tu veux.

LINDA

Viens là-haut.

WILLY, *la tenant dans ses bras.*

Dans quelques minutes, Linda... Je ne pourrais pas dormir maintenant... Va... tu as l'air fatiguée... (*Il l'embrasse.*)

BEN

Rien à voir avec leurs rendez-vous d'affaires à la flan... Un diamant, c'est dur, étincelant... On peut le prendre et le garder en main.

WILLY

Va... je serai là dans un instant.

LINDA

Je crois que tout est arrangé pour le mieux, Willy... non ?

WILLY

Oui, je le crois aussi, pour le mieux.

BEN

Pour le mieux, oui...

WILLY

Tout est arrangé. Tout va l'être, en tout cas. Oui... va te coucher, ma petite fille... Tu as l'air si fatigué.

LINDA

Ne tarde pas..

WILLY

Deux minutes ! (*Linda passe dans la chambre à coucher. Willy part vers la porte de la cuisine.*) Il m'aime. (*Émerveillé.*) Il m'a toujours aimé. C'est beau ça, Ben. Je suis sûr qu'il me sera reconnaissant de ce que je vais faire...

BEN, *prometteur*.

C'est sombre... la jungle... mais plein de diamants...

WILLY

Tu le vois... avec ces 20 000 dollars en poche ?

LINDA, *depuis la chambre*.

Willy, viens.

WILLY, *criant*.

Oui... Je suis là. (*À mi-voix.*) C'est une bonne idée, je te le jure, chérie... Ben aussi trouve que c'est une bonne idée... Allons... il faut que je m'en aille... Au revoir... Au revoir... (*Descendant à Ben, joyeusement.*) Tu réalises ?... Il n'aura plus qu'à ouvrir son courrier pour être plus riche que Bernard.

BEN

Proposition remarquable. Proposition parfaite !

WILLY

Tu as vu ? Il pleurait... Oh !... Si je pouvais l'embrasser, Ben...

BEN

Nous n'avons plus le temps, William !

WILLY

Oh ! Ben... J'ai toujours su que nous en sortirions, Biff et moi..

BEN, *l'éternel regard à la montre.*
Le bateau... nous sommes en retard.
(*Il s'éloigne dans l'ombre.*)

WILLY, *exalté.*
Écoute-moi bien, petit... Tu donnes ton coup de pied de départ et tu cours vers le centre du terrain..., mets des bottes de sept lieues si c'est utile... Et là... rattrape ton ballon et envoie-le par-dessus... bien sec, bien dur, mais par-dessus. C'est important. Il y a des tas de gens importants dans les tribunes, et, avant même que tu ne te rendes compte, tu seras célèbre... (*Réalisant tout à coup qu'il est seul.*) Ben... Ben...

LINDA
Willy... Viens... s'il te plaît...
(*Willy, dans un mouvement de frayeur, lance un « chut » comme pour la faire taire. Il tourne sur lui-même ; brusquement sur la pointe des pieds, il contourne la maison, en courant. « Willy ? » Linda reste un moment immobile. Biff s'assied sur son lit ; il a gardé ses vêtements. Happy aussi. Ils écoutent tous deux.*)

LINDA, *avec effroi.*
Willy... Réponds-moi... Willy... (*Bruit de moteur.*) Non !

BIFF

Papa !

(*Enchaînant sur le bruit de la voiture, la musique s'élève à un point presque douloureux d'intensité, puis elle se calme pour revenir à une pulsation profonde et régulière.*

Biff retourne dans sa chambre. On le voit, ainsi que Happy, remettre un veston. Le jour se lève. Charley et Bernard, habillés de noir, apparaissent et frappent à la porte de la maison. Biff et Happy descendent les escaliers, et rencontrent Charley et Bernard. Tout le monde se fige comme Linda, en vêtements de deuil, qui entre dans la chambre. Elle porte à la main un petit bouquet de roses. Charley lui prend le bras et tous descendent vers le public, traversant le mur idéal de la cuisine. À l'avant-scène, Linda s'agenouille, dépose les fleurs et se laisse aller, presque assise sur les talons. Tous ont les yeux fixés sur la tombe.)

Requiem...

CHARLEY

Il est tard, Linda... Il fait presque nuit.
(*Linda ne bronche pas, les yeux fixés sur la tombe.*)

BIFF

Viens, maman... Il vaut mieux que tu rentres et que
tu prennes un peu de repos... Ils vont fermer les grilles.

(*Linda, même jeu.*)

HAPPY, *profondément atteint.*

Il n'avait pas le droit de faire ça... Nous l'aurions
aidé. Il n'avait pas de raison...

CHARLEY

Hum...

BIFF

Viens, maman...

LINDA

Pourquoi personne n'est-il venu ?

CHARLEY

C'était un très bel enterrement...

LINDA

Mais tous ceux qui le connaissaient... Pourquoi ?
Vous croyez qu'ils lui donnent tort...

CHARLEY

Mais non. La vie est dure, Linda... Ils ne lui donnent pas tort.

BIFF

Seulement il faisait de mauvais rêves... Voilà. Et
ça, tout le monde le sait...

HAPPY, *tout de suite hargneux.*

Ne dis pas ça !

BIFF

Il ne s'est jamais regardé en face.

CHARLEY, *arrêtant la réponse*
et le mouvement de Happy.

Il n'y avait rien à lui reprocher à cet homme. C'est
toi qui ne comprends pas : Willy était un commis
voyageur. Un commis voyageur, c'est un type qui ne
se fixe pas dans la vie. C'est pas un type qui serre des
écrous, ou qui rend la justice, ou qui prépare des
cachets d'aspirine... C'est un type tout seul... un type
libre... qui fait sa vie avec des sourires et des chaussures bien cirées... Oui. Et le jour où on ne lui rend
plus son sourire, c'est la fin du monde. Ce jour-là, il
n'a plus qu'à perdre la boule... ce jour-là, il est fichu.

Il n'y avait rien à reprocher à cet homme. Un commis voyageur, ça doit rêver, mon garçon... ça fait partie du voyage... Oui.

BIFF

Charley, je t'assure qu'il ne s'est jamais regardé en face.

HAPPY, *furieux*.

Je te défends de dire ça.

BIFF

Pourquoi ne veux-tu pas partir avec moi, toi ?

HAPPY

Parce que moi... je ne me laisse pas abattre aussi facilement, parce que moi, je reste dans cette ville de merde... et que je vais leur montrer qui je suis... (*Le menton en l'air, vers Biff.*) Les frères Loman !

BIFF, *simple*.

Moi, je me suis regardé en face, tu vois...

HAPPY

Parfait. Seulement, moi, j'ai envie de te prouver et de prouver à tout le monde que Willy Loman n'est pas mort pour rien et que les rêves qu'il faisait étaient de bons rêves. Que ce sont même les seuls rêves qu'un homme puisse faire ! Il faut être le premier, il faut être en avant des autres. Voilà pourquoi il s'est battu. Et moi, je vais réussir... pour lui.

> BIFF, *après un regard désespéré à Happy,*
> *vers sa mère.*

Viens, maman, partons.

> LINDA

Dans une minute... Je vous rejoins dans une minute. Va, Charley. (*Comme il hésite.*) Une minute... juste une minute. Je n'ai pas encore eu l'occasion de lui dire au revoir.

(*Charley s'éloigne, suivi de Happy. Biff reste plus proche, à gauche de Linda. Elle est là, assise, contenue. Et la musique de la flûte traverse l'air pendant qu'elle parle.*)

> LINDA

Je te demande pardon, chéri, je ne peux pas pleurer. Je ne sais pas ce qui se passe : mais je ne peux pas pleurer. Willy... Pourquoi as-tu fait ça ? Aide-moi... Je n'arrive pas à pleurer. Pour moi, c'est comme si tu faisais un voyage de plus... Je suis là. J'attends. Tu vois, moi, je ne pleure pas, c'est pour ça, chéri. Pourquoi as-tu fait ça, Willy ? J'ai fait le dernier versement de la maison aujourd'hui... Justement aujourd'hui, chéri... et il n'y a plus personne chez nous. (*Un sanglot monte.*) Nous sommes libres. (*Biff descend vers elle.*) Libres... Nous ne devons plus rien à personne... Libres... Libres.

(Biff la fait se relever et l'emmène, la soutenant dans ses bras. Elle pleure calmement. Bernard et Charley les rejoignent. Puis Happy. Tous sortent. Seule, sur la scène obscurcie, règne la musique merveilleuse de la flûte. Et au fond, les hautes maisons à appartements dominent la maison vide.)

RIDEAU

pavillons poche

Titres parus

Peter Ackroyd
Un puritain au paradis

Woody Allen
Destins tordus

Margaret Atwood
La Servante écarlate
Faire surface
La Femme comestible
Mort en lisière

Nicholson Baker
À servir chambré
La Mezzanine

Mikhaïl Boulgakov
Le Roman théâtral

Vitaliano Brancati
Le Bel Antonio

Dino Buzzati
Le régiment part à l'aube
Nous sommes au regret de...

Upamanyu Chatterjee
Les Après-midi d'un fonctionnaire très déjanté

Michael Chabon
Les Mystères de Pittsburgh

John Collier
Le Mari de la guenon

John Kennedy Toole
La Bible de néon

Pa Kin
Le Jardin du repos

Jaan Kross
Le Fou du Tzar

Siegfried Lenz
La Leçon d'allemand

Norman Mailer
Le Chant du bourreau
Bivouac sur la Lune

Dacia Maraini
La Vie silencieuse de Marianna Ucrìa

Guillermo Martínez
Mathématique du crime

Arthur Miller
Mort d'un commis voyageur

Vítězslav Nezval
Valérie ou la Semaine des merveilles

Geoff Nicholson
Comment j'ai raté mes vacances

Joseph O'Connor
À l'irlandaise

Saki
Le Cheval impossible
L'Insupportable Bassington

J. D. Salinger
Dressez haut la poutre maîtresse, charpentiers

Sam Shepard
Balades au paradis

Johannes Mario Simmel
On n'a pas toujours du caviar

Alexandre Soljenitsyne
Le Premier Cercle
Zacharie l'Escarcelle
La Maison de Matriona

Quentin Tarantino
Inglourious Basterds

James Thurber
La Vie secrète de Walter Mitty

John Updike
Jour de fête à l'hospice

Alice Walker
La Couleur pourpre

Evelyn Waugh
Retour à Brideshead
Grandeur et décadence

Tennessee Williams
Le Boxeur manchot
Sucre d'orge
Le Poulet tueur et la Folle honteuse

Richard Yates
La Fenêtre panoramique
Onze histoires de solitude

Cet ouvrage a été imprimé
en janvier 2012 par

FIRMIN-DIDOT

27650 Mesnil-sur-l'Estrée

Cet ouvrage a été imprimé
en janvier 2012 par

CPi

FIRMIN-DIDOT

27650 Mesnil-sur-l'Estrée

Composé par Nord Compo Multimédia
7, rue de Fives, 59650 Villeneuve-d'Ascq

Imprimé en France

N° d'édition : 452386/02. – N° d'impression : 109596
Dépôt légal : novembre 2009